1000 INFOS SUR L'ESPACE

Texte original : John Farndon
Conseiller : Tim Furniss

Adaptation française : Paloma Cabeza-Orcel
Secrétariat d'édition : Luc-Édouard Gonot
Photocomposition : I.G.S. – Charente photogravure

© 2003 Éditions Gründ pour l'édition française
www.grund.fr

© 2001 Miles Kelly Publishing pour l'édition originale sous le titre *1000 Facts on Space*

ISBN 2-7000-2701-9
Dépôt légal : janvier 2003
Imprimé en Chine

Loi n° 49-956 du 16 juillet 1949 sur les publications destinées à la jeunesse

1000 INFOS SUR L'ESPACE

John Farndon

Adaptation française Paloma Cabeza-Orcel

Gründ

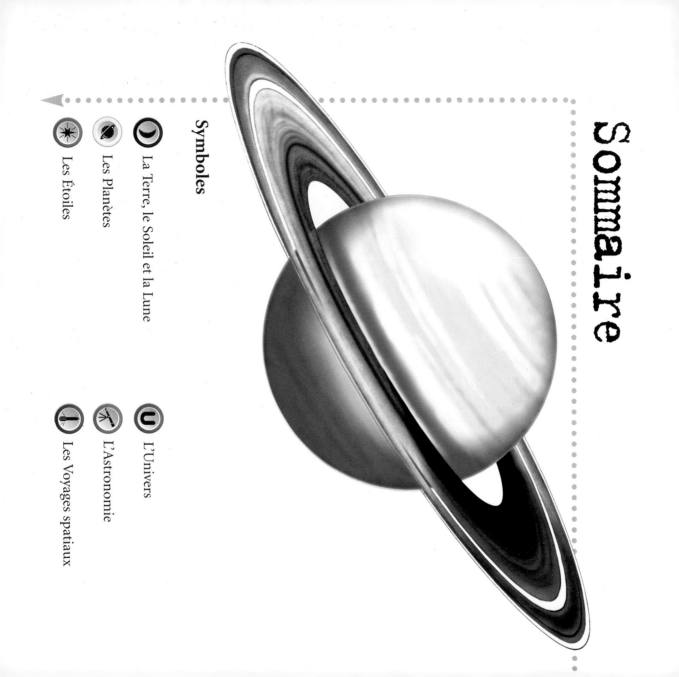

Sommaire

Symboles

La Terre, le Soleil et la Lune

Les Planètes

Les Étoiles

L'Univers

L'Astronomie

Les Voyages spatiaux

La formation de la Terre 12. Le jour et la nuit 24. La Lune 26. Les satellites naturels 28. Le Soleil 30. Les taches solaires 32. Les éruptions solaires 34. L'évolution du Soleil 36. Les éclipses 38. Les météorites 160. Les aurores magnétiques 168. L'année 170. Les rayons cosmiques 186. L'eau 192. Les marées 194.

La Terre 14. L'atmosphère 18. Les planètes 92. Mercure 96. Vénus 98. Mars 100. La conquête de Mars 102. Jupiter 104. Les lunes galiléennes de Jupiter 106. Saturne 108. Les anneaux de Saturne 110. Uranus 112. Neptune 114. Pluton 116. Les astéroïdes 158. Les comètes 162. La comète de Halley 164. La rotation 198.

Sommaire

Les catalogues astronomiques 46. Les étoiles 118. Les cartes célestes 120. Les constellations 122. Les galaxies 126. La Voie lactée 128. Les nébuleuses 132. La naissance d'une étoile 134. Les étoiles géantes 136. Les supernovae 138. Les étoiles naines 140. Les étoiles variables 142. Les étoiles à neutrons 144. Les pulsars 146. Les étoiles doubles 148. La luminosité des étoiles 150. Le diagramme H-R 152. La sphère céleste 156.

L'Univers 8. Le Big Bang 10. La vie 20. Les extraterrestres 22. Les amas de galaxies 130. Les quasars 166. Les distances 172. Einstein 176. Les atomes 178. L'énergie nucléaire 180. Les radiations 182. La lumière visible 184. Les éléments chimiques 190. Le magnétisme 196. La gravité 200. Les trous noirs 204. La matière sombre 206.

Copernic 16. Le ciel nocturne 40. L'astronomie 42. Hipparque 44. Les observatoires 48. Les télescopes 50. Herschel 52. Galilée 56. Hubble 58. Les radiotélescopes 60. Kepler 94. Le zodiaque 124. Le décalage vers le rouge 154. L'année-lumière 174. Les rayons X 188. Newton 202.

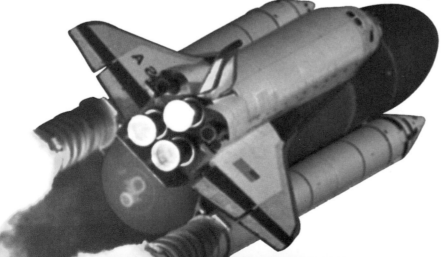

Les télescopes spatiaux 54. Les orbites 62. Les satellites artificiels 64.
L'exploration spatiale 66. Les engins spatiaux 68. Les fusées 70.
Le décollage 72. La navette spatiale 74. Les sondes spatiales 76.
Les sondes *Voyager* 78. Le voyage dans l'espace 80. Les astronautes 82.
Les sorties dans l'espace 84. La conquête de la Lune 86.
Les combinaisons spatiales 88. Les stations spatiales 90.

L'Univers

▲ L'Univers devient de plus en plus grand à chaque instant, tandis que les galaxies filent à toute vitesse dans toutes les directions.

- **L'Univers est tout** ce que nous pouvons connaître de l'espace et du temps.

- **L'Univers actuel est pratiquement vide**, avec de petits amas de matière et d'énergie.

- **La détermination de l'âge de l'Univers est ambiguë** : certaines étoiles de notre galaxie semblent âgées de 14 à 18 milliards d'années, davantage que l'âge estimé de l'Univers ! Soit ces étoiles sont plus jeunes qu'elles ne paraissent, soit l'Univers est plus vieux.

- **Les galaxies les plus lointaines** détectées à ce jour sont distantes d'environ 13 milliards d'années-lumière (130 milliards de trillions de km).

- **L'Univers se dilate** à chaque instant. Nous le savons parce que toutes les galaxies s'éloignent de nous, et cela d'autant plus vite qu'elles sont plus distantes (*voir* Le décalage vers le rouge).

- **Les galaxies les plus lointaines** s'éloignent de nous à plus de 90 % de la vitesse de la lumière.

- **Autrefois on pensait que l'Univers** était tout ce qui existait, mais les théories récentes de l'inflation (*voir* Le Big Bang) suggèrent que notre Univers n'est qu'une « bulle » parmi l'infinité de bulles de l'espace-temps.

- **L'Univers n'a ni centre ni bords**, car, selon la théorie de la relativité d'Einstein (*voir* Einstein), la gravité déforme tout l'espace-temps selon une courbe dite « fermée » – comme l'est la surface d'un ballon qu'une fourmi peut parcourir sans fin.

▲ La plupart des astronomes pensent que l'Univers s'est créé lors d'une gigantesque explosion appelée « le Big Bang » qui survint en une fraction de seconde, libérant son énergie dans toutes les directions (représentée ici par la boule de lumière au centre de l'image). Peu après la matière se forma (en rouge). Puis apparut la première génération d'étoiles qui se structurèrent en galaxies (sur le pourtour).

LE SAVIEZ-VOUS ?
Des théories récentes suggèrent qu'il existe de nombreux autres univers qui nous sont, hélas, inaccessibles.

Le Big Bang

- **L'explosion primordiale ou Big Bang** serait à l'origine de l'Univers il y a 15 milliards d'années.

- **Une fraction de seconde plus tard**, une superforce dilata l'Univers primordial au moins un millier de milliards de milliards de milliards de fois.

- **Elle se « brisa »** en quatre forces fondamentales – les interactions forte, faible, électromagnétique et gravitationnelle.

- **Il n'y avait pas d'atomes**, seulement une « soupe » de particules fondamentales (des quarks et des électrons) infiniment plus dense que l'eau.

- **Il y avait aussi de l'antimatière** – l'image miroir de la matière. Mises en contact, elles se détruisent mutuellement. Certains cosmologistes pensent que l'essentiel de la matière et de l'antimatière disparut ainsi, laissant l'Univers presque vide.

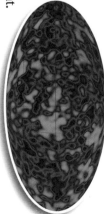

- **Trois minutes après le Big Bang**, les quarks commencèrent à s'associer pour former le plus simple des noyaux atomiques, celui de l'hydrogène.

- **300 000 ans après le Big Bang**, la température était descendue à 3 000 °C et les noyaux d'hydrogène et d'hélium purent capturer les électrons libres, devenant des atomes. Une fois les électrons piégés, les photons (la lumière) purent circuler. C'est le début de l'Univers visible.

- **Au bout d'un million d'années**, les atomes se regroupèrent sous l'action de la gravité en écharpes de gaz séparées par du vide.

- **Après 300 millions d'années**, ces gaz s'amalgamèrent en nuages plus denses puis, ayant atteint la masse critique, se contractèrent, formant étoiles et galaxies.

- **Le rayonnement fossile du Big Bang** est un rayonnement micro-onde de fond provenant de tout l'espace (carte céleste ci-dessus).

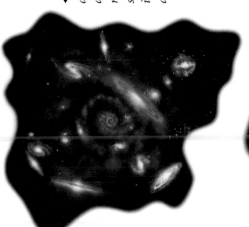

▼ *Les milliers d'étoiles visibles dans le ciel nocturne ne sont qu'une infime partie de l'Univers.*

▼ *Avant le Big Bang, tout l'Univers se trouvait contenu en un point minuscule. L'explosion de cet « œuf » cosmique marqua le début de l'expansion rapide de l'Univers. Les galaxies s'éloignent toujours les unes des autres, et certains scientifiques pensent qu'elles continueront ainsi indéfiniment (Univers ouvert).*

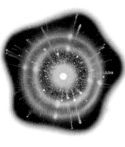

▼ *Le Big Bang est l'explosion primordiale qui créa l'Univers.*

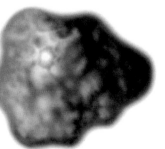

▲ *Des millions d'années après, les gaz se condensèrent en nuages.*

▲ *Les nuages s'agrègent les uns aux autres. Des étoiles s'y formèrent, structurées en galaxies.*

La formation de la Terre

- **Le Système solaire s'est formé** quand un nuage de gaz et de poussières enrichi en éléments lourds fabriqués par la première génération d'étoiles commença à s'effondrer et à tourner sur lui-même, sans doute sous l'onde de choc d'une supernova proche.

- **Il y a environ 4,55 milliards d'années,** le Système solaire n'était encore qu'un immense disque chaud de gaz et de poussières tournant autour d'une nouvelle étoile, notre Soleil.

- **La Terre s'est probablement formée** à partir de petits débris spatiaux appelés planétésimaux, qui se sont agglomérés sous l'action de leurs gravités mutuelles.

- **Alors que la Terre se formait,** de nombreux débris continuaient de la frapper, ajoutant toujours plus de matière. Parmi ceux-ci, de la glace provenant des confins du Système solaire naissant.

- **Il y a environ 4,5 milliards d'années,** un corps de la taille de Mars heurta la Terre. Les débris légers de la collision s'agglomérèrent pour former la Lune.

- **La collision qui donna naissance à la Lune** rendit la Terre très chaude.

- **La radioactivité** échauffa encore davantage la Terre.

- **La surface de la Terre** resta longtemps une masse de roches en fusion.

- **Le fer et le nickel fondus** coulèrent vers le centre de la Terre pour former le noyau.

- **Les matériaux plus légers** tels que l'aluminium et le silicium restèrent en surface et refroidirent, formant la croûte.

▶ *Le Système solaire s'est formé à partir d'un nuage de gaz et de poussières — la nébuleuse primitive.*

▼ *Quand la Terre se forma à partir d'un disque en rotation de poussières d'étoiles, les fragments s'agrègèrent avec une telle violence que la jeune planète devint une boule brûlante. Elle refroidit lentement, puis les continents et les océans se formèrent.*

La Terre

- **La Terre est la troisième planète** à partir du Soleil dont elle est éloignée de 149,6 millions de km en moyenne. Au cours de son orbite elliptique, elle s'approche au plus près du Soleil le 3 janvier, à 147 097 800 km (au périhélie) ; le 4 juillet, elle est au plus loin à 152 098 200 km (aphélie).

- **La Terre est la cinquième planète par la taille** du Système solaire, avec un diamètre de 12 756 km et une circonférence de 40 024 km à l'équateur.

- **La Terre est l'une des quatre planètes telluriques** avec Mercure, Vénus et Mars. Elle est principalement constituée de roches, avec un noyau de fer et de nickel.

- **La Terre est la seule planète du Système solaire** à conserver de l'eau liquide en surface, ce qui est très important pour le développement de la vie. L'eau libre recouvre plus de 70 % de sa surface.

- **L'atmosphère de la Terre**, épaisse de 700 km, est principalement composée d'azote, un gaz inoffensif, et de 21 % d'oxygène utile à la vie. Cet oxygène est produit et recyclé par les plantes depuis des milliards d'années.

- **La Terre s'est formée il y a 4,65 milliards d'années** à partir du disque de gaz et de poussières en rotation autour du jeune Soleil. Au début, la planète était en fusion ; la croûte solide ne s'est formée qu'après un lent refroidissement.

- **L'orbite de la Terre** autour du Soleil, longue de 939 886 400 km, est parcourue en 365,242 jours.

▲ *La Terre vue de l'espace. C'est la seule planète connue qui abrite la vie.*

- **L'axe de rotation de la Terre est incliné** d'un angle de 23,5° par rapport au plan de son orbite autour du Soleil, appelé écliptique.

- **La Terre est constituée** des mêmes matériaux de base que les météorites et les autres planètes telluriques – principalement de fer (35 %), d'oxygène sous forme d'oxydes (28 %), de magnésium (17 %), de silicium (13 %) et de nickel (2,7 %).

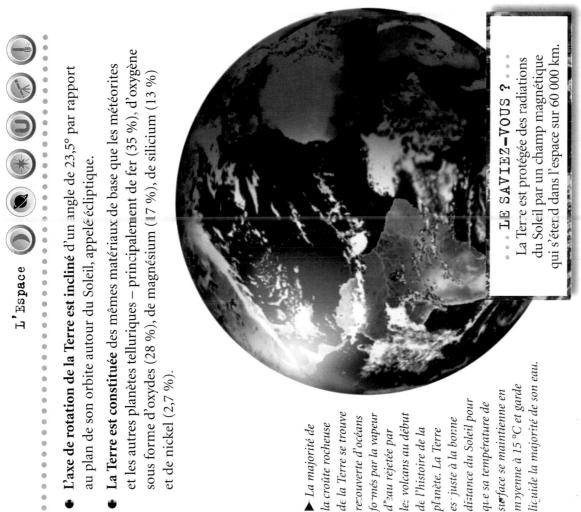

▲ *La majorité de la croûte rocheuse de la Terre se trouve recouverte d'océans formés par la vapeur d'eau rejetée par les volcans au début de l'histoire de la planète. La Terre est juste à la bonne distance du Soleil pour que sa température de surface se maintienne en moyenne à 15 °C et garde liquide la majorité de son eau.*

LE SAVIEZ-VOUS ?

La Terre est protégée des radiations du Soleil par un champ magnétique qui s'étend dans l'espace sur 60 000 km.

Copernic

- **Jusqu'au XVIᵉ siècle,** la plupart des gens pensaient que la Terre était au centre de l'Univers et que tout – la Lune, le Soleil, les planètes et les étoiles – tournait autour d'elle.

- **Nicolas Copernic** fut l'astronome qui le premier suggéra que le Soleil était le centre de l'Univers et que la Terre tournait autour de lui – c'est une vision héliocentrique du monde.

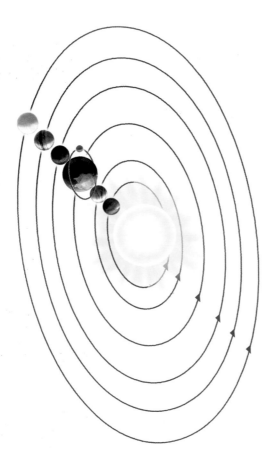

▲ *En 1543, Nicolas Copernic proposa une théorie révolutionnaire : la Terre et les autres planètes se déplacent autour du Soleil. On croyait auparavant que le Soleil et les planètes tournaient autour d'une Terre stationnaire.*

▲ « La Terre, écrivait Copernic, emmenant la trajectoire de la Lune, suit une grande orbite parmi les autres planètes au cours d'une révolution annuelle autour du Soleil. »

● **Copernic est né** le 19 février 1473 à Torun en Pologne, et est mort le 24 mai 1547.

● **Neveu d'un évêque,** Copernic passa l'essentiel de sa vie comme chanoine à la cathédrale de Frauenburg, dans l'est de la Prusse (aujourd'hui l'Allemagne).

● **Copernic décrivit ses idées** dans un traité intitulé *De revolutionibus orbium coelestium libri VI* (Sur les révolutions de la sphère céleste).

● **L'Église catholique romaine** mit le livre de Copernic à l'index durant près de 300 ans.

● **Copernic ne tira pas ses idées** de l'observation du ciel nocturne mais de l'étude de l'astronomie ancienne.

● **Il fut mis sur la voie** par la façon dont les planètes semblaient faire marche arrière de temps à autre sur la voûte étoilée.

● **La première preuve** de la théorie de Copernic fut apportée en 1609 par Galilée qui observa avec une lunette des lunes tournant autour de Jupiter.

● **Le bouleversement d'idées** apporté par Copernic est connu sous le terme de Révolution copernicienne.

L'atmosphère

- Une **atmosphère** est l'enveloppe des gaz retenus autour d'une planète par sa gravité.

- **Toutes les planètes** du Système solaire possèdent une atmosphère.

- **L'atmosphère** de la Terre est la seule que les humains peuvent respirer.

- **Les satellites naturels** sont généralement trop petits et leur gravité trop faible pour retenir une atmosphère. Quelques lunes du Système solaire en possèdent cependant, comme Titan, une lune de Saturne.

- **Les atmosphères primitives** provenaient du disque de gaz et de poussières entourant le jeune Soleil.

- **Si la Terre et les autres planètes telluriques** ont eu une atmosphère primitive, celle-ci a été complètement soufflée par le vent solaire.

- **L'atmosphère de la Terre** s'est constituée à partir des gaz des volcans. Puis les plantes ont fait diminuer le taux de gaz carbonique et libéré de l'oxygène.

- **L'atmosphère de Jupiter** est partiellement primitive ; elle a été altérée par les radiations du Soleil, la chaleur interne de la planète et les décharges électriques de ses orages.

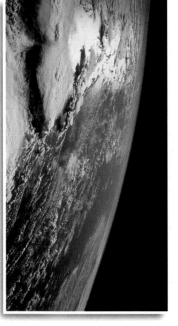

▲ *L'atmosphère unique de la Terre nous protège des dangereux rayonnements du Soleil et nous fournit eau et oxygène.*

▶ *Panache de gaz émis par un volcan
sur l'île d'Hawaii, dans le Pacifique.
Les gaz volcaniques ont contribué
à former l'atmosphère de la Terre.*

· · · LE SAVIEZ-VOUS ? · · ·

Tout l'oxygène de l'atmosphère terrestre a
été produit par des plantes microscopiques.

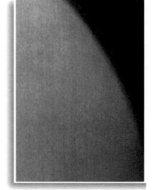

La vie

- **La vie n'existe**, à notre connaissance, que sur la Terre. Cependant, en 1986, la NASA a découvert ce qui pourrait être des fossiles d'êtres vivants microscopiques dans un fragment de météorite martienne.

- **La vie sur Terre** est probablement apparue il y a 3,8 milliards d'années.

- **Une partie des scientifiques** pensent que les molécules chimiques de base de la vie se sont formées sur Terre. Mais d'autres pensent, comme l'astronome Fred Hoyle, qu'elles se sont formées dans l'espace.

- **Des composés chimiques organiques de base** de la vie tels que les acides aminés ont été retrouvés dans les nébuleuses et les météorites (voir *Météores*).

- **Les décharges électriques d'énormes éclairs** auraient permis la synthèse des grosses molécules organiques sur la jeune Terre.

- **Mars est la seule** autre planète connue à avoir eu un jour de l'eau libre en surface – c'est pourquoi les scientifiques y cherchent des signes de vie.

- **Europe, une des lunes de Jupiter,** possède probablement sous sa surface glacée de l'eau liquide qui pourrait abriter la vie.

▶ *Titan, la plus grande lune de Saturne, pourrait aussi abriter des formes de vie. C'est l'un des rares satellites naturels du Système solaire à posséder une atmosphère, et son épaisse surface rocheuse pourrait accueillir des organismes microscopiques.*

▶ *Au début de l'histoire de la Terre, d'énormes éclairs auraient induit la synthèse de molécules de matière vivante.*

···· LE SAVIEZ-VOUS ? ····

Des organismes microscopiques ont été trouvés dans des roches du sous-sol terrestre à très grande profondeur. Des organismes similaires ne pourraient-ils pas vivre sous la surface de Mars ou de Titan ?

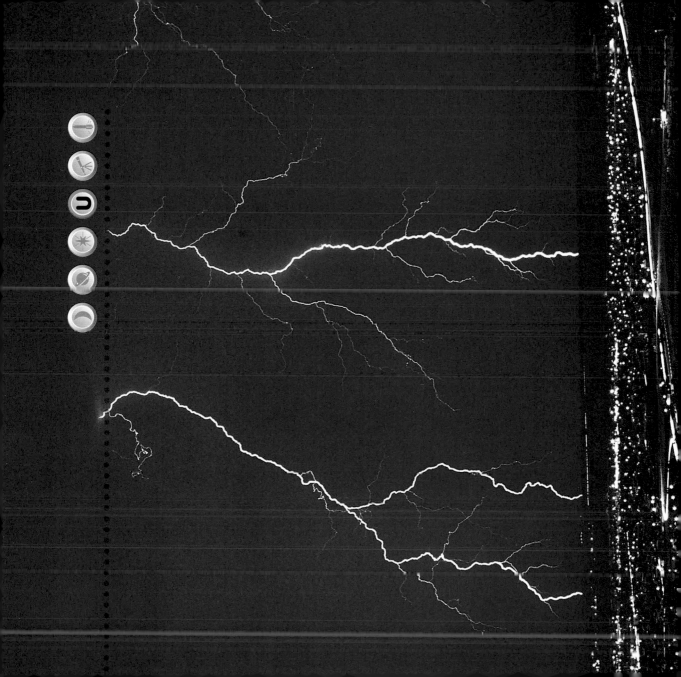

Les extraterrestres

- **Certains scientifiques** pensent que la vie extraterrestre peut se développer n'importe où dans l'Univers dès lors qu'il existe une source d'énergie.

- **Les premiers extraterrestres identifiés** pourraient être des bactéries martiennes ; cela expliquerait les floraisons sombres apparaissant, chaque printemps martien, sur les dunes de glace des pôles de Mars.

- **La plupart des scientifiques** pensent que, s'il y a une vie extraterrestre, où qu'elle soit dans l'Univers, elle doit être fondée sur la chimie du carbone comme l'est la vie sur Terre.

- **Si une civilisation comme la nôtre** existe quelque part, ce devrait être sur une planète en orbite autour d'une étoile. C'est pourquoi la découverte d'autres systèmes planétaires est si exaltante (*voir* Planètes).

- **L'équation de Drake,** proposée par l'astronome Frank Drake, évalue combien il y aurait de civilisations dans notre galaxie – le résultat se chiffre en millions !

- **Le SETI** (*Search for Extraterrestrial Intelligence*) est un programme scientifique qui analyse les signaux radios provenant de l'espace pour rechercher des signes de vie intelligente.

- **Le radiotélescope d'Arecibo** détecte en permanence les signaux radio provenant de l'espace.

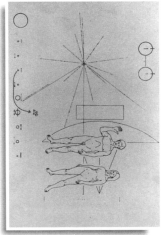

▶ *Les sondes spatiales Pioneer 10 et 11 ont chacune à leur bord cette plaque de métal gravée de dessins décrivant la vie sur Terre.*

▶ *De nombreuses photographies d'OVNI (objets volants non identifiés) telles que celle-ci existent. Certaines personnes affirment qu'elles prouvent l'existence de la vie et de la technologie ailleurs dans l'Univers.*

L'Espace

Le jour et la nuit

- **Lorsqu'il fait jour** sur la moitié de la Terre faisant face au Soleil (hémisphère éclairé), c'est la nuit sur l'hémisphère opposé, qui se trouve dans l'ombre. À mesure que la Terre tourne sur elle-même, la nuit et le jour se décalent graduellement autour du monde.

- **La Terre tourne d'ouest en est.** Cela signifie que le Soleil se lève à l'est lorsque notre région du monde commence à lui faire face.

- **Lors de la rotation de la Terre,** les étoiles se retrouvent dans la même position dans le ciel nocturne toutes les 23 heures, 56 minutes et 4,09 secondes. C'est la durée du jour sidéral.

- **Le Soleil met 24 heures** à reprendre la même position dans le ciel diurne – c'est le jour solaire. Il est un peu plus long que le jour sidéral car la Terre se déplace d'un degré de plus autour du Soleil chaque jour.

- **Sur les autres planètes,** la durée du jour et de la nuit varie selon la vitesse à laquelle chaque planète tourne sur elle-même.

- **Un jour sur Mercure** dure près de 59 jours terrestres ; la planète tourne en effet lentement sur elle-même.

- **Un jour sur Jupiter** dure moins de 10 heures car la planète tourne très vite sur elle-même.

- **Un jour sur Mars** dure 24,6 heures, presque le même temps que le nôtre.

- **Un jour sur la Lune** dure un mois terrestre.

▶ *Le Soleil apparaît à l'aube, au moment où la Terre tourne notre partie du monde vers la lumière solaire. Il disparaît au crépuscule car la Terre, qui poursuit sa révolution, éloigne notre partie du monde de sa lumière.*

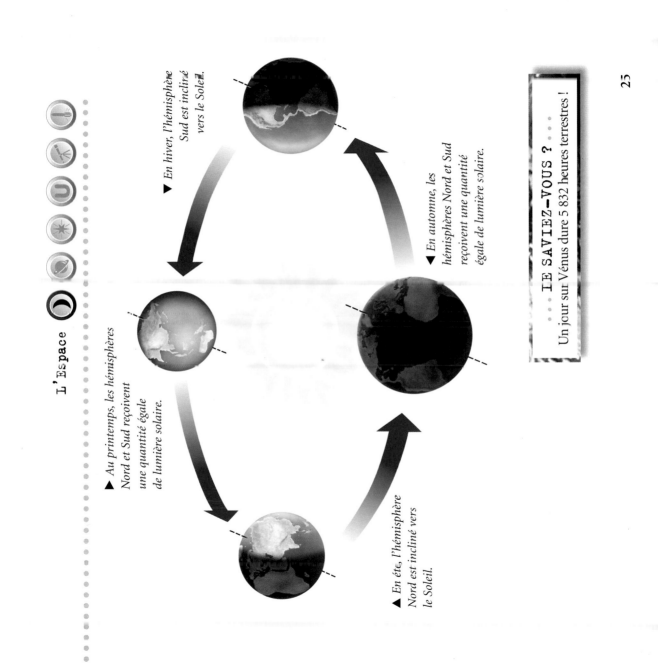

L'Espace

▲ Au printemps, les hémisphères Nord et Sud reçoivent une quantité égale de lumière solaire.

▼ En hiver, l'hémisphère Sud est incliné vers le Soleil.

▼ En automne, les hémisphères Nord et Sud reçoivent une quantité égale de lumière solaire.

▲ En été, l'hémisphère Nord est incliné vers le Soleil.

La Lune

- **La Lune** se trouve à 384 400 km de la Terre et fait environ 25 % de sa taille.

- **La Lune** fait le tour de la Terre en 27,3 jours. Elle tourne sur elle-même en 720 heures.

- **La Lune** est l'objet le plus brillant du ciel nocturne. Cette lumière n'est pas émise par la Lune elle-même : c'est la lumière du Soleil que réfléchit sa surface claire.

- **Seule la face de la Lune** illuminée par le Soleil est visible. Comme nous voyons davantage de cette face éclairée au fil du mois à mesure que la Lune tourne autour de la Terre, puis de moins en moins, la Lune semble changer de forme. Ces changements d'apparence sont appelés les phases de la Lune.

- **Durant la première moitié de chacun de ses cycles**, la Lune passe d'un mince croissant à un croissant plein formant l'arc d'un « p » (premier quartier), puis au disque plein de la pleine Lune. Dans la seconde moitié de son cycle, elle décroît en formant l'arc d'un « d » (dernier quartier), puis reste invisible quelques jours (nouvelle Lune).

- **Le mois lunaire ou lunaison** est le temps qui s'écoule entre deux pleines Lunes. Il est un peu plus long que la durée de l'orbite de la Lune autour de la Terre car cette dernière se déplace aussi.

▲ *La Lune est le seul autre monde que le pied de l'Homme a foulé. Comme la Lune est dépourvue d'atmosphère et de vent, les traces de pas qu'ont laissées les astronautes d'Apollo XI à sa surface poussiéreuse en 1969 sont toujours visibles aujourd'hui, parfaitement conservées.*

- **La Lune n'a pas d'atmosphère** et sa surface, recouverte de poussière grise, est criblée de cratères créés par les nombreuses météorites qui l'ont percutée au début de son histoire.

- **La surface de la Lune** présente de grandes taches sombres appelées mers car on croyait autrefois que c'en était réellement. En fait, ce sont des coulées de lave jaillies d'anciens volcans au début de son histoire.

- **Une face de la Lune, la face cachée,** nous est toujours invisible. C'est parce que la Lune tourne sur elle-même exactement à la même vitesse qu'elle tourne autour de la Terre.

▲ *Contrairement à la surface de la Terre qui se modifie d'heure en heure, la surface poussiéreuse et cratérisée de la Lune demeure inchangée depuis des milliards d'années sauf lorsqu'une météorite s'y écrase et crée un nouveau cratère.*

> ⋯ **LE SAVIEZ-VOUS ?** ⋯
> La gravité de la Lune vaut 17 % de celle de la Terre, aussi un astronaute en combinaison peut-il y faire des bonds de 4 mètres de haut !

Les satellites naturels

- **Les satellites naturels** des planètes, ou lunes, sont pour la plupart de petits globes rocheux qui tournent autour de leur planète mère, retenus par la gravité de celle-ci.

- **On a découvert 65 lunes** à ce jour dans le Système solaire.

- **Chaque planète du Système solaire** possède au moins une lune, excepté Mercure et Vénus, les planètes les plus proches du Soleil, qui n'en ont aucune.

- **De nouvelles lunes sont régulièrement découvertes** grâce aux sondes spatiales et à l'amélioration des télescopes terrestres.

- **Trois satellites naturels** au moins ont une atmosphère assez stable : Titan, qui orbite autour de Saturne, Io, autour de Jupiter, et Triton, autour de Neptune.

- **La plus grosse lune du Système solaire** est Ganymède, satellite de Jupiter.

- **La seconde plus grosse lune** est Titan, tournant autour de Saturne. Celle-ci ressemble à une petite Terre glacée, avec son noyau rocheux et sa froide atmosphère d'azote.

- **Les plus petites lunes** sont des masses rocheuses irrégulières larges de quelques kilomètres à peine, semblables aux astéroïdes.

- **De la glace d'eau** recouvre la surface de nombreuses grosses lunes des planètes lointaines.

- **Japet**, une lune de Saturne, possède une face blanche et l'autre noire.

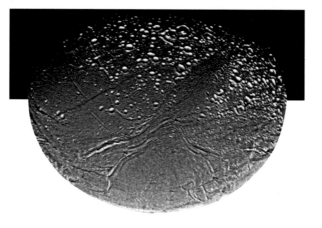

▲ *Encelade, une lune de Saturne de 500 km de diamètre, est striée de profondes vallées qui suggèrent une activité géologique – un fait assez rare parmi les lunes et les petites planètes.*

▲ Triton, la plus grosse des huit lunes de Neptune,
tombe lentement en spirale vers la planète. Dans 10 à
100 millions d'années, elle se brisera sous l'action de
la gravité de Neptune et formera des anneaux autour
de la planète. Les geysers de Triton expulsent
des gaz gelés d'azote.

▲ Ganymède, l'une des quatre lunes principales
de Jupiter, photographiée ici par la sonde spatiale
Galileo, est plus grosse que la planète Mercure.
Sa surface est parsemée d'impacts de météorites
révélant de la glace fraîche (blanche).

Le Soleil

- **Le Soleil est une étoile** de taille moyenne, d'un diamètre de 1 392 000 km – 100 fois le diamètre de la Terre.

- **Le Soleil pèse** 2 000 trillions de trillions de tonnes (environ 330 000 fois le poids de la Terre) bien qu'il soit constitué presque entièrement d'hydrogène, le gaz le plus léger de l'Univers.

- **L'intérieur du Soleil** est chauffé par des réactions nucléaires de fusion jusqu'à une température de 15 millions de degrés.

- **La couche gazeuse visible** du Soleil (sa « surface ») est appelée la photosphère. Elle émet la lumière que nous recevons sur Terre.

- **Au-dessus de la photosphère** se trouve la chromosphère, une mince couche de gaz étendant des langues enflammées appelées spicules qui la font ressembler à une forêt en flammes.

- **Au-dessus de la chromosphère** s'étend la couronne, encore plus chaude que le cœur du Soleil, qui forme autour un immense halo.

- **La chaleur produite à l'intérieur du Soleil** s'évacue en surface en modelant sur la photosphère des taches appelées granules et de gigantesques langues de gaz chauds appelées protubérances (*voir* Éruptions solaires).

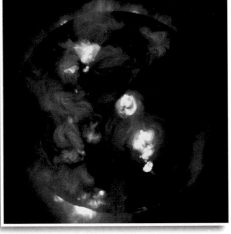

▲ *Cette photographie en fausses couleurs prise par un observatoire spatial montre que la surface du Soleil est une masse turbulente de flammes et de langues de gaz chauds – très différente de la boule lisse et jaune vue de la Terre.*

● **Le Soleil produit de la chaleur** car il est si gros qu'il règne une énorme pression dans son cœur – suffisante pour forcer les noyaux d'hydrogène à fusionner en noyaux d'hélium. Ces réactions nucléaires sont semblables à celles d'une bombe atomique gigantesque et libèrent d'immenses quantités d'énergie.

● **À mi-chemin entre son cœur et sa surface,** le Soleil est à peu près dense comme l'eau. Aux deux tiers de cette distance, il est dense comme l'air.

● **Les réactions nucléaires de fusion** au cœur du Soleil produisent des milliards de photons lumineux à chaque minute (*voir* Lumière visible), mais il leur faut 10 millions d'années pour atteindre la photosphère.

taches
solaires

protubérances
solaires

▲ *Le Soleil n'est pas une simple boule de gaz brûlants. Constitué princi- palement d'hydrogène et d'hélium, il est structuré en plusieurs couches. D'abord son cœur, où est produite la majeure partie de la chaleur, puis différentes couches jusqu'à la chromosphère enflammée (ci-contre). Les observatoires spatiaux tels que SoHO (l'Ob- servatoire solaire et héliosphé- rique) ont appris énormément aux astronomes sur le Soleil.*

Les taches solaires

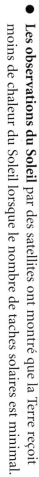

- **Les taches solaires sont des points sombres** visibles sur la « surface » du Soleil (la photosphère). Elles font 2 000 °C de moins que le reste de la surface.

- **Le centre très sombre** d'une tache solaire s'appelle l'ombre – c'est la partie la plus froide d'une tache. La région plus claire autour s'appelle la pénombre.

- **Les taches solaires apparaissent en groupes** qui semblent se déplacer à la surface du Soleil quelques semaines à mesure que le Soleil tourne sur lui-même.

- **Une tache solaire individuelle** perdure moins d'un jour.

- **Le nombre des taches solaires** atteint un maximum tous les 11 ans. Cette période est le cycle solaire. Le moment du maximum des taches est appelé le maximum solaire.

- **L'année 2002** a coïncidé avec un maximum solaire.

- **Le climat de la Terre** serait plus chaud et plus tempétueux lors des maxima solaires.

- **Il existe aussi** des cycles solaires de plus longues périodes, de 76 et 180 ans.

- **Les observations du Soleil** par des satellites ont montré que la Terre reçoit moins de chaleur du Soleil lorsque le nombre de taches solaires est minimal.

▲ *Les photographies infrarouges du Soleil mettent en évidence les taches solaires sombres qui apparaissent sur sa surface visible.*

L'Espace

▼ Les taches solaires sont des marques sombres sur le Soleil. Elles libèrent des bouffées d'énergie appelées sursauts solaires qui envoient des rayonnements et des particules très énergétiques dans l'espace.

LE SAVIEZ-VOUS ?

SoHO a confirmé que les taches solaires (et donc la masse gazeuse du Soleil) se déplacent plus vite près de l'équateur.

L'activité solaire

- **Les sursauts solaires** sont des éruptions soudaines à la surface du Soleil. Ils surviennent en quelques minutes mais mettent plus d'une heure et demie à disparaître.

- **Là où naissent les sursauts solaires**, la température atteint 10 millions de degrés. Ils libèrent l'énergie d'un million de bombes atomiques.

- **Les sursauts solaires** n'engendrent pas seulement de la chaleur et des rayonnements, mais aussi des rafales de particules chargées.

- **Le vent solaire** est un flot de particules chargées émises continuellement par le Soleil dans toutes les directions à plus d'un million de kilomètres à l'heure. Il atteint la Terre en 21 heures et poursuit sa route, balayant tout le Système solaire.

- **À chaque seconde**, le vent solaire emporte plus d'un million de tonnes de particules chargées hors du Soleil.

- **La Terre est protégée** des effets nocifs du vent solaire par son champ magnétique (*voir* Magnétisme).

- **Les protubérances solaires** sont de gigantesques langues d'hydrogène brûlant jaillissant de temps à autre du Soleil.

- **Les protubérances solaires** atteignent une température de 10 000 °C.

- **Les éjections de matière coronale**, ou « transitoires coronaux », sont de gigantesques éruptions de particules chargées issues de la couronne du Soleil. Elles créent des rafales dans le vent solaire qui déclenchent des tempêtes magnétiques sur Terre.

- **Les tempêtes magnétiques** sont des arrivées massives de particules chargées qui frappent la Terre régulièrement, faisant crépiter l'atmosphère d'aurores magnétiques et de signaux électromagnétiques parasites.

▶ *Les protubérances solaires peuvent s'étendre sur plusieurs milliers de kilomètres.*

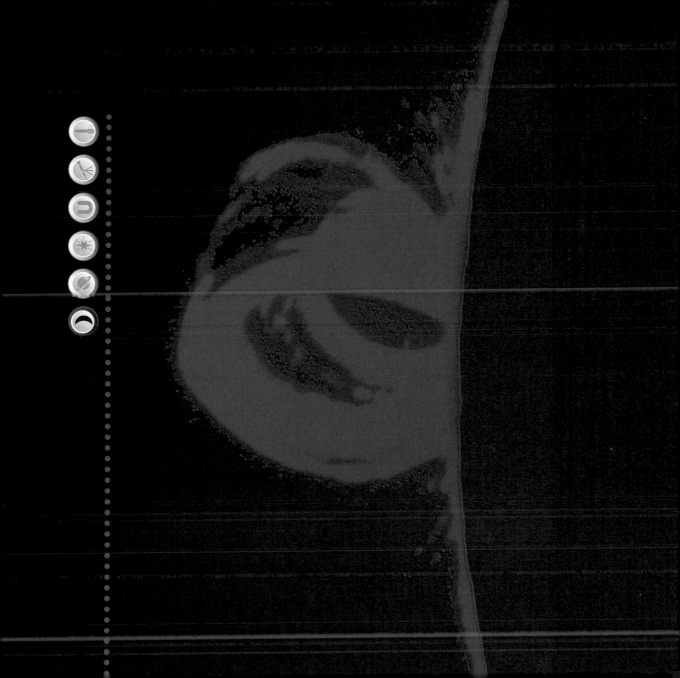

L'évolution du Soleil

- **Le Soleil est âgé d'environ 5 milliards d'années.** Étoile de moyenne grandeur, il vivra probablement 10 milliards d'années environ.

- **Au cours des prochains milliards d'années,** le Soleil verra son éclat augmenter du double et deviendra moitié plus gros.

- **Dans 5 milliards d'années,** l'hydrogène, entièrement transformé en hélium, sera épuisé. La fusion ayant cessé, le cœur du Soleil ne sera plus chauffé et s'effondrera sur lui-même.

- **Avec la contraction du cœur,** les couches externes du Soleil se dilateront, devenant plus froides : le Soleil deviendra une géante rouge.

- **En devenant une géante rouge,** le Soleil engloutirait Mercure et Vénus mais repousserait sous l'action du vent solaire les autres planètes à partir de la Terre, redevenue une boule de magma.

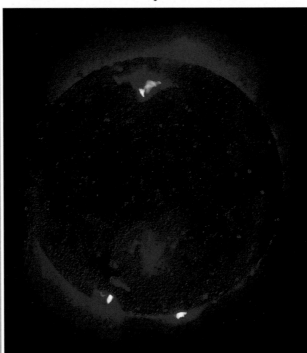

▲ *Le Soleil semble brûler si constamment qu'on tient pour assuré qu'il brillera et chauffera ainsi pour toujours. À court terme, pourtant, son éclat varie sans cesse très légèrement, et dans quelques milliards d'années le Soleil brillera plus, et plus intensément.*

L'Espace

- **Le Soleil terminera** sa vie en naine blanche.

- **La luminosité du Soleil varie,** mais elle a été anormalement faible et presque dépourvue de tache solaire entre 1645 et 1715 – cette période est appelée le minimum de Maunder. La Terre connut à cette époque un petit âge glaciaire.

- **La synthèse du carbone 14 augmente** sur Terre lorsque le Soleil est plus actif. Le carbone 14 étant absorbé par les arbres, les scientifiques peuvent déterminer l'activité passée du Soleil en mesurant le taux de carbone 14 dans le bois fossile.

- **L'observatoire spatial SoHO** stationne entre la Terre et le Soleil, surveillant ce dernier afin de détecter les variations de son activité.

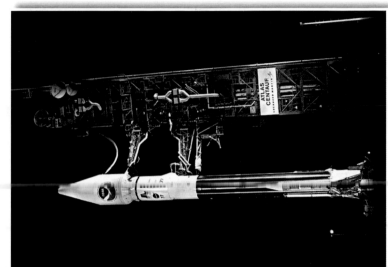

▲ *Une fusée Atlas sur son pas de tir, prête à lancer dans l'espace SoHO, l'observatoire spatial très avancé du Soleil. Ce satellite étudie notre étoile et ses interactions avec la Terre.*

Les éclipses

- **Une éclipse** survient quand la lumière d'une étoile telle que le Soleil est temporairement cachée par un autre objet spatial.

- **Une éclipse de Lune** survient quand la Lune passe dans l'ombre que projette la Terre lorsque le Soleil est derrière elle (la Terre est alors entre la Lune et le Soleil).

- **Des éclipses de Lune surviennent** une à deux fois par an et durent quelques heures.

- **Lors d'une éclipse totale**, la Lune devient d'un rouge orangé sombre.

- **Les prochaines éclipses totales de Lune** visibles en France auront lieu les 16 mai 2003, 9 novembre 2003, 4 mai 2004 et 28 octobre 2004.

- **Il y a une à deux éclipses de Soleil par an**, mais elles ne sont visibles que dans une étroite bande du globe terrestre.

▲ *Durant une éclipse totale de Soleil, la Lune masque tout le disque solaire ; seule la couronne est visible.*

L'Espace

- **Les prochaines éclipses totales de Soleil** visibles en Europe auront lieu le 3 octobre 2003 en Espagne (éclipse partielle en France) et le 29 mars 2006 en Russie (partielle en France).

- **Les éclipses de Soleil sont rendues possibles** parce que la Lune est 400 fois plus petite que le Soleil mais aussi 400 fois plus proche de la Terre que lui ; de ce fait, Lune et Soleil ont la même taille apparente dans le ciel.

▶ *Il ne faut jamais regarder le Soleil directement durant une éclipse sous peine de provoquer des lésions irréversibles aux yeux. Ce groupe attend sur une plage d'Hawaii la phase de totalité d'une éclipse ; les personnes utilisent des dispositifs optiques spéciaux qui toutefois ne garantissent pas l'absence de danger.*

Le ciel nocturne

- **La nuit, le ciel noir** est éclairé par la Lune et de petits points lumineux.

- **La plupart de ces points lumineux** sont des étoiles. Les points mobiles présentant des variations d'éclat sont des satellites artificiels.

- **Les « étoiles » les plus brillantes** qui ne scintillent pas, souvent les premières à apparaître, sont en fait des planètes : Jupiter (grosse et brillante), Saturne (jaunâtre), Vénus (très blanche et brillante) et Mars (pâle et rougeâtre).

- **La bande pâle et brumeuse** au milieu du ciel est la Voie lactée, notre propre galaxie vue sur la tranche.

- **Vous pouvez distinguer** environ 2 000 étoiles à l'œil nu.

- **La place des étoiles les unes par rapport aux autres** dans le ciel nocturne est fixe. L'ensemble des étoiles semble tourner au fil de la nuit, mais c'est la Terre qui tourne sur elle-même.

- **Il s'écoule 23 heures 56 minutes** avant que la voûte céleste revienne à la même place dans le ciel, du fait de la rotation de la Terre.

- **Comme la Terre orbite autour du Soleil**, la voûte céleste se trouve à une place légèrement différente chaque nuit à la même heure.

- **Nous ne voyons pas les mêmes étoiles** suivant que nous habitons l'hémisphère Nord ou l'hémisphère Sud.

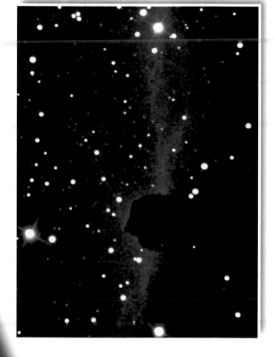

▶ La Voie lactée, notre
galaxie, est visible depuis
la Terre comme une étroite
écharpe pâle et brumeuse.

... LE SAVIEZ-VOUS ? ...
Outre la Voie lactée, vous pouvez voir
à l'œil nu une autre galaxie, celle
d'Andromède, située à 2,2 millions
d'années-lumière.

▶ La lumière des étoiles vacille
car elle est perturbée par les
remous de l'atmosphère terrestre
engendrés par la chaleur. En
regardant le ciel nocturne à l'œil
nu, vous pouvez voir près de
2 000 étoiles, mais les puissants
télescopes en révèlent des millions.
Certaines des étoiles visibles à
l'œil nu sont distantes de trillons
de kilomètres – leur lumière
met des années à nous parvenir.

L'astronomie

- **L'astronomie est l'étude des objets célestes** de l'Univers comme les planètes et leurs lunes, les étoiles ou les galaxies.

- **L'astronomie est la plus ancienne des sciences.** Les premières observations astronomiques datent de dizaines de milliers d'années.

- **Les Égyptiens** utilisaient leurs connaissances astronomiques pour établir leur calendrier et aligner leurs pyramides.

- **Le mot « astronomie »** vient du grec ancien *astron*, qui signifie « astre », et *nomos*, signifiant « loi ».

- **Les lunettes astronomiques et les télescopes** permettent d'étudier des objets bien plus pâles et bien plus lointains que ceux discernables à l'œil nu.

- **Les objets célestes émettent d'autres rayonnements** que la lumière visible et qui sont détectés avec des équipements spéciaux (*voir* Radiotélescopes *et* Télescopes spatiaux).

- **Les astronomes professionnels** examinent davantage des photographies ou des images numériques du ciel qu'ils n'observent celui-ci au télescope, car la plupart des objets lointains ne sont révélés que sur des photographies à longue pose.

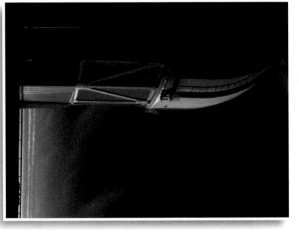

▲ *La plupart des observatoires astronomiques sont situés loin des villes, dans des sites offrant un ciel très pur.*

- **Les astronomes découvrent de nouveaux objets célestes** en comparant des photographies du même secteur du ciel prises à différents moments.

- **L'astronome professionnel** utilise un équipement sophistiqué, mais des amateurs munis de jumelles continuent cependant de faire des découvertes importantes.

▼ *Les grandes pyramides égyptiennes de Gizeh auraient été alignées avec certaines étoiles.*

Hipparque

- **Hipparque de Nicée** est un astronome grec qui vécut au IIe siècle av. J.-C. Il mourut en 127 av. J.-C.

- **Les fondements de l'astronomie** ont été posés par Hipparque et demeurèrent inchangés pendant 1 500 ans avant d'être remis en question par Copernic.

- **Les antiques tablettes babyloniennes** rapportées par Alexandre le Grand de ses conquêtes ont aidé Hipparque à effectuer ses observations astronomiques.

- **Hipparque est le premier astronome** ayant essayé de déterminer l'éloignement du Soleil.

- **Le premier catalogue d'étoiles**, comprenant 850 objets, fut établi par Hipparque.

- **Hipparque est aussi le premier** à avoir systématiquement identifié les constellations et à avoir décrit les étoiles en termes de magnitude (*voir* Luminosité d'une étoile).

- **Hipparque a aussi découvert** que la position relative des étoiles aux équinoxes (le 21 mars et le 21 décembre) se décale lentement – c'est la « précession des équinoxes ». Les étoiles mettent 26 000 ans pour revenir à leur place initiale.

- **La branche des mathématiques appelée trigonométrie** aurait été également inventée par Hipparque.

▶ *Une partie des connaissances astronomiques d'Hipparque provient des Sumériens qui ont transcrit nombre de leurs découvertes sur des tablettes d'argile.*

▲ *Hipparque a mené ses observations à Rhodes. Il est le premier à avoir repéré la position géographique des lieux par leur latitude et leur longitude.*

Les catalogues astronomiques

- **Les astronomes classent les étoiles** de chaque constellation selon leur éclat (leur luminosité apparente) en utilisant une lettre de l'alphabet grec (*voir* Constellations). L'étoile la plus brillante d'une constellation – disons Pégase – sera notée Alpha Pegasi.

- **Le premier catalogue d'objets non stellaires**, c'est-à-dire autres que des étoiles – par exemple, les nébuleuses – fut établi par l'astronome Charles Messier (1730-1817). Ces objets sont désignés par la lettre M (comme Messier) suivie d'un nombre ; M1 est ainsi la nébuleuse du Crabe.

- **Messier a publié une liste de 103 objets** en 1781, et depuis 1908 ce catalogue s'est enrichi de 15 000 nouvelles entrées.

- **De nombreux objets décrits par Messier** comme des nébuleuses sont en fait des galaxies.

- **Le catalogue officiel d'objets non stellaires** est aujourd'hui le NGC (*New General Catalogue*) qui répertorie les nébuleuses et les amas stellaires. Publié pour la première fois en 1888, celui-ci a rapidement atteint 13 000 entrées.

- **De nombreux objets** se trouvent à la fois dans les catalogues Messier et NGC et ont donc deux références distinctes.

- **La galaxie d'Andromède** est ainsi désignée par M31 et NGC224.

- **Les radiosources** sont répertoriées dans des catalogues similaires tels que le catalogue 3C de l'Université de Cambridge.

- **Le premier quasar** découvert est ainsi référencé 3C48.

- **De nombreux pulsars** sont aujourd'hui répertoriés par leur position dans le ciel : ascension droite et déclinaison (*voir* Sphère céleste).

▲ *Avec une telle infinité d'étoiles, de galaxies et de nébuleuses dans le ciel nocturne, les astronomes ont besoin de catalogues très détaillés afin de localiser chaque objet observé de façon fiable et de savoir s'il a déjà été étudié.*

Les observatoires

- **Les observatoires** sont des endroits particuliers où les astronomes étudient l'espace. Pour offrir la meilleure vue du ciel nocturne, la plupart sont construits au sommet de montagnes, loin de la pollution, de la chaleur et des lumières urbaines.

- **L'un des plus grands complexes d'observatoires astronomiques** est situé à 4 200 m au-dessus du niveau de la mer dans le cratère du Mauna Kea, un volcan éteint des îles Hawaii.

- **Dans la plupart des observatoires,** les télescopes sont abrités sous un dôme pivotant qui permet de continuer à viser les mêmes étoiles malgré la rotation de la Terre.

- **Le plus vieil observatoire** est la Tour des vents à Athènes, qui date de 100 av. J.-C.

- **Dans l'observatoire impérial de Pékin** (Beijing) en Chine se trouvent des instruments astronomiques en bronze vieux de 500 ans.

- **L'un des plus anciens observatoires** encore en activité est l'Observatoire de Paris, fondé en 1667 par Louis XIV.

- **L'observatoire le plus élevé,** celui de Denver dans le Colorado (États-Unis), est perché à 4 300 m d'altitude.

- **L'observatoire le moins élevé** se trouve 1,7 km sous terre. Situé au fond de la mine de Homestake dans le Dakota (États-Unis), c'est en fait un « télescope à neutrinos » – un immense réservoir d'eau destiné à piéger ces particules évanescentes (*voir* Rayons cosmiques).

▶ *L'observatoire de la Tour des vents à Athènes, en Grèce est le plus ancien observatoire du monde encore existant.*

- **Les premières photographies d'étoiles** ont été prises en 1840. Aujourd'hui, la plupart des astronomes s'appuient sur des photographies plutôt que sur des observations visuelles.

- **Les images astronomiques** sont prises par des détecteurs appelés CCD (dispositif à couplage de charges), qui délivrent des signaux électriques lorsque les rayons lumineux les frappent.

▲ *L'observatoire de Kitt Peak en Arizona (États-Unis).*

Les télescopes

- **Lunettes et télescopes** optiques grossissent les objets distants à l'aide de lentilles ou de miroirs qui collectent et courbent les rayons lumineux jusqu'au foyer de l'instrument où se forme l'image.

- **Des télescopes spécifiques détectent les rayonnements électromagnétiques** autres que le visible : radio (les radiotélescopes), infrarouge, ultraviolet, rayons X (*voir* Rayons X), etc.

- **Les lunettes astronomiques** utilisent des lentilles réfractrices (convexes) pour collecter et amplifier la lumière des objets célestes.

- **Les télescopes** utilisent un système de miroirs réflecteurs concaves pour collecter et amplifier la lumière des objets célestes.

- **Comme la lumière y est plusieurs fois réfléchie** pour être concentrée, les télescopes sont plus larges mais plus courts que les lunettes.

- **L'image qu'étudient la plupart des astronomes** professionnels n'est pas l'image directe d'une étoile mais celle que des détecteurs CCD, situés au bout du télescope, ont collectée (*voir* Observatoires).

- **Les grands télescopes modernes** utilisent des miroirs faits d'une mosaïque de petits miroirs hexagonaux recouverts d'une couche réfléchissante.

- **Les grands miroirs mosaïques sont contrôlés** par des ordinateurs qui vérifient que leur surface réfléchissante garde la bonne courbure.

▼ *Ce type de lunette astronomique est l'instrument le plus pratique pour l'astronome amateur.*

▶ *Le gigantesque miroir mosaïque d'un télescope de l'observatoire Smithsonian en Arizona.*

• • • **LE SAVIEZ-VOUS ?** • • • •
Les miroirs de télescopes doivent être polis
au 2 milliardième de millimètre près.

Herschel

- **William Herschel** (1738-1822) était un musicien astronome amateur qui construisit chez lui à Bath, en Angleterre, ses propres télescopes, les plus puissants de l'époque.

- **Jusqu'à l'époque d'Herschel,** les astronomes pensaient qu'il n'y avait, outre la Terre, que sept objets célestes indépendants : la Lune, le Soleil et cinq planètes.

- **Les cinq planètes alors connues** étaient Mercure, Vénus, Mars, Jupiter et Saturne.

- **Uranus,** la sixième planète, fut découverte par William Herschel en 1781.

- **Tout d'abord,** Herschel crut que ce point lumineux visible dans son télescope était une étoile, mais en y regardant de plus près il distingua un disque et non un point. En outre, l'objet s'était déplacé la nuit suivante – ce ne pouvait qu'être une planète.

- **Herschel voulut nommer la nouvelle planète** George, en l'honneur du roi George III, mais elle fut finalement baptisée Uranus.

- **Sa sœur Caroline** (1750-1848), également grand astronome amateur, fut la partenaire d'Herschel dans toutes ses découvertes. Elle catalogua les étoiles de l'hémisphère Nord.

- **Son fils John** (1792-1871) catalogua les étoiles de l'hémisphère Sud.

- **Herschel découvrit aussi** des étoiles doubles et dressa le premier catalogue de nébuleuses.

- **Herschel fut le premier à expliquer** que la Voie lactée était ce que nous voyions d'une galaxie « en forme de meule ».

▲ *William Herschel fut l'un des plus grands astronomes. Avec l'aide de sa sœur Caroline, il découvrit Uranus en 1781 et identifia plus tard deux des lunes d'Uranus et de Saturne.*

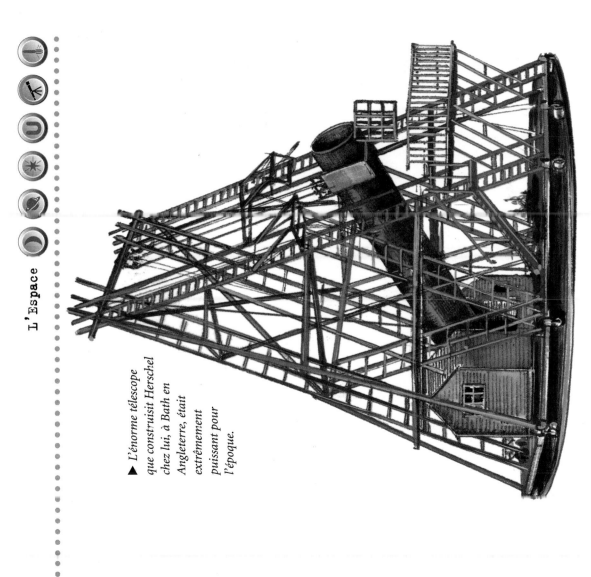

▲ L'énorme télescope que construisit Herschel chez lui, à Bath en Angleterre, était extrêmement puissant pour l'époque.

Les télescopes spatiaux

- **Les télescopes spatiaux sont placés en orbite** autour de la Terre afin de pouvoir étudier l'Univers en s'affranchissant des perturbations et de l'absorption dues à l'atmosphère terrestre.

- **Le premier télescope spatial,** lancé en 1972, s'appelait *Copernicus*.

- **Le plus connu** est le télescope spatial *Hubble*, lancé par la navette spatiale américaine *Discovery* en 1990.

- **Des télescopes spatiaux spécifiques** étudient les différentes formes de rayonnements composant le spectre électromagnétique (*voir* Lumière visible).

- **Entre 1989 et 1993 le satellite *COBE*** a mesuré le rayonnement micro-onde fossile du Big Bang.

- **Le rayonnement infrarouge** des objets ponctuels (étoiles, galaxies) ou diffus (poussières interstellaires, disques protoplanétaires) a été étudié par les observatoires spatiaux *IRAS* (1983) et surtout *ISO* (1995-1998).

- **Lancé en 1978, le satellite *IUE*** (*International Ultraviolet Explorer*) a analysé le rayonnement ultraviolet de l'Univers pendant 18 ans.

- *Helios* et *SMM* sont deux des nombreux télescopes spatiaux ayant étudié le Soleil.

- **Les rayons X** ont été étudiés par des satellites tels qu'*Einstein*, *Exosat* ou *XMM*.

- **Les rayons gamma** ne peuvent être détectés que par des télescopes spatiaux tels que l'observatoire Compton des rayons gamma (*CGRO*) en activité entre 1981 et 2000. Le satellite *Integral* prendra bientôt la relève.

▶ *Le miroir principal du télescope spatial Hubble avait un défaut de courbure qu'à corrigé un dispositif optique installé fin 1993 par les astronautes lors d'une mission de service de la navette spatiale. Les instruments scientifiques de Hubble sont régulièrement changés, multipliant ainsi les types de mesures. Arrêt prévu en 2010.*

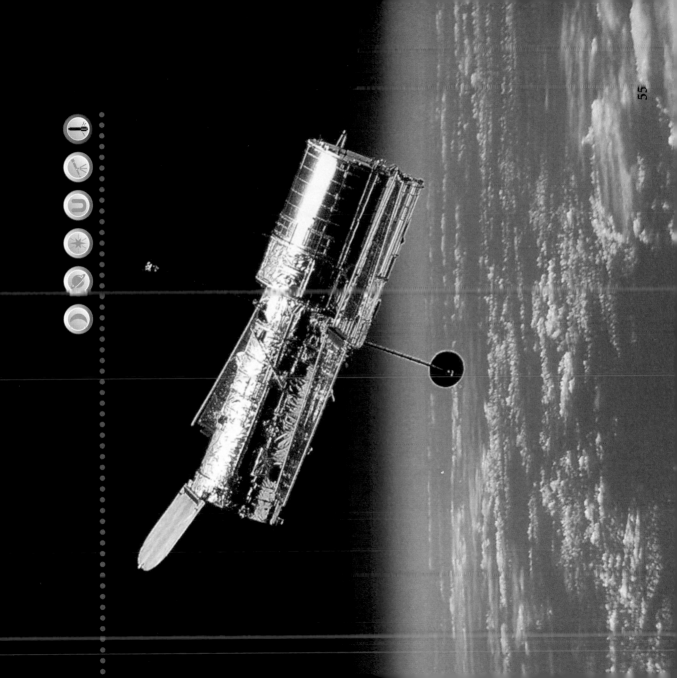

Galilée

- **Galileo Galilei** (1564-1642), dit Galilée, était un grand mathématicien et astronome italien.

- **Galilée** est né à Pise le 15 février 1564, la même année que William Shakespeare.

- **Galilée aurait trouvé les lois** gouvernant l'oscillation des pendules après avoir regardé le balancement d'une lampe dans la cathédrale de Pise en 1583.

- **Les expériences de Galilée** avec des boules roulant sur des plans inclinés ont posé les bases de notre compréhension sur la façon dont la gravité affecte l'accélération des objets.

- **Apprenant l'invention de la lunette astronomique,** Galilée construisit son propre instrument pour observer la Lune, Vénus et Jupiter.

- **Galilée décrivit ses observations** astronomiques dans l'ouvrage intitulé *Le messager des étoiles*, publié en 1613.

- **Avec sa lunette,** Galilée découvrit que Jupiter avait quatre lunes (*voir* Lunes galiléennes de Jupiter). Il a aussi vu que Vénus présentait des phases comme notre Lune.

- **Les lunes de Jupiter et les phases de Vénus** furent les premières preuves visibles de la théorie de Copernic postulant que la Terre tourne autour du Soleil, à laquelle Galilée souscrivait.

- **Galilée fut déclaré hérétique** en 1616 par l'Église catholique pour son soutien à la théorie de Copernic. Plus tard, Galilée fut contraint sous la torture de nier que la Terre gravitât autour du Soleil ; la légende dit qu'il murmura ensuite « *eppure si muove* » (pourtant elle tourne).

▲ *L'un des plus brillants scientifiques de tous les temps, Galilée finit sa vie emprisonné pour ses convictions dans sa villa près de Florence.*

▲ Galilée étudia le ciel avec sa propre lunette dont il fait ici une démonstration aux membres du Sénat vénitien.

LE SAVIEZ-VOUS ?

La condamnation de Galilée par l'Église n'a été désavouée que le 31 octobre 1992.

Hubble

- **Edwin Hubble** (1889-1953), célèbre astrophysicien américain, étudia d'abord le droit à Chicago et Oxford et fut un grand boxer avant de se tourner vers l'astronomie.

- **Jusqu'au début du xx⁰ siècle**, les astronomes pensaient que notre galaxie contenait tous les objets de l'Univers.

- **Dans les années vingt**, Hubble montra que les taches lumineuses floues que l'on pensait être des nébuleuses étaient en fait des galaxies très éloignées de la nôtre.

- **En 1929**, Hubble mesura le décalage vers le rouge de la lumière émise par 18 galaxies et montra que toutes ces galaxies s'éloignaient de nous (*voir* Décalage vers le rouge).

- **Hubble découvrit** alors que plus la galaxie était loin, plus elle s'éloignait rapidement de nous.

- **La loi de Hubble** pose que le rapport de la distance d'une galaxie sur sa vitesse d'éloignement est constant.

- **La théorie du Big Bang** découle de la loi de Hubble : si les galaxies s'éloignent, l'Univers devient de plus en plus grand — il a donc dû commencer en étant très petit.

- **La constante déterminée par la loi de Hubble** est la constante de Hubble et vaut, selon les estimations, entre 25 et 80 km par seconde par million d'années-lumière.

▲ *L'une des premières découvertes de Hubble fut de montrer que certaines nébuleuses sont en réalité d'autres galaxies.*

L'Espace

- **En 1930 Hubble** montra que l'Univers est isotrope (il a des propriétés identiques dans toutes les directions).

- **Le télescope spatial** *Hubble* a été baptisé ainsi en son honneur.

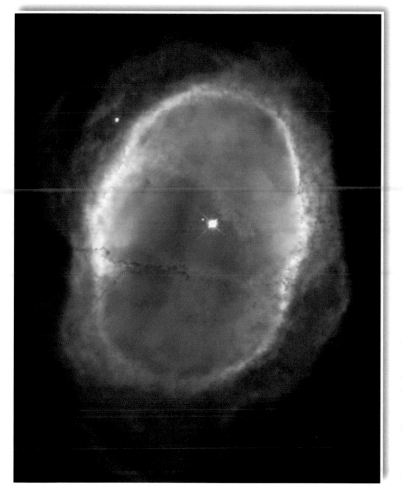

▲ *Image d'une nébuleuse planétaire obtenue par le télescope spatial* Hubble.

Les radiotélescopes

- **Les radiotélescopes** sont des télescopes qui observent les ondes radio au lieu de la lumière visible.

- **Comme les télescopes optiques,** un radiotélescope utilise un grand « miroir » – en fait, une parabole – pour collecter et focaliser les signaux radio.

- **Au foyer de la parabole** du radiotélescope, une antenne recueille les signaux radio.

- **Les ondes radio** étant de bien plus grandes longueurs d'onde que les ondes lumineuses, la parabole collectrice d'un radiotélescope doit être très grande – elle atteint souvent 100 m de diamètre.

- **Au lieu d'une seule grande parabole,** certains radiotélescopes utilisent un réseau de petites paraboles interconnectées. Plus la distance entre deux paraboles (la « base ») est grande, plus l'image est détaillée.

- **Le VLBA** (Réseau à très longue base) se compose de dix antennes paraboliques interconnectées disséminées à travers tout le territoire américain.

- **La radioastronomie** a permis la découverte des pulsars et du fond cosmologique diffus – le rayonnement micro-onde fossile du Big Bang.

- **Les radiogalaxies** sont des galaxies très lointaines et très peu visibles (parfois pas du tout) mais détectables par leurs émissions radio.

- **La radioastronomie** a montré que notre Voie lactée était une galaxie en forme de disque pourvu de bras spiralés.

▶ De nombreux radiotélescopes utilisent un réseau d'antennes paraboliques reliées entre elles et exploitent les propriétés de l'interférométrie.

Les orbites

- **« Orbiter » signifie « tourner autour »**. Une lune, une planète ou tout autre objet céleste sera retenu par le champ gravitationnel d'un corps plus massif et orbitera (ou gravitera) autour de lui.

- **Une orbite** peut être circulaire, elliptique (ovale) ou parabolique (ouverte, l'objet s'échappe alors). Les orbite des planètes sont elliptiques.

- **Un objet spatial en orbite** est appelé satellite.

- **Les plus grandes orbites connues** sont celles des étoiles de notre galaxie, qui mettent 200 millions d'années ou plus à accomplir un tour d'orbite ou « révolution ».

- **L'impulsion** est ce qui maintient en mouvement un objet. Elle dépend de la masse et de la vitesse de l'objet.

- **Un satellite orbite à l'altitude** où son impulsion est exactement contrebalancée par la gravité du corps massif qui le retient.

- **Si l'attraction gravitationnelle** du corps massif devient plus grande que l'impulsion du satellite, ce dernier tombera vers le corps.

- **Si l'impulsion du satellite** est plus grande que l'attraction gravitationnelle du corps massif, le satellite s'échappe dans l'espace.

- **Plus l'orbite d'un satellite est basse**, plus sa vitesse doit être grande pour ne pas tomber vers le corps massif.

- **Par exemple, un satellite artificiel en orbite géostationnaire** à 35 786 km au-dessus de l'équateur terrestre doit se déplacer à environ 11 000 km/h pour accomplir une révolution en 24 heures sans tomber. La Terre tournant sur elle-même dans le même temps, le satellite reste toujours au-dessus du même point de l'Équateur.

▲ *Les stations spatiales sont des satellites artificiels qui orbitent autour de la Terre, tandis que la Lune est un satellite naturel de celle-ci.*

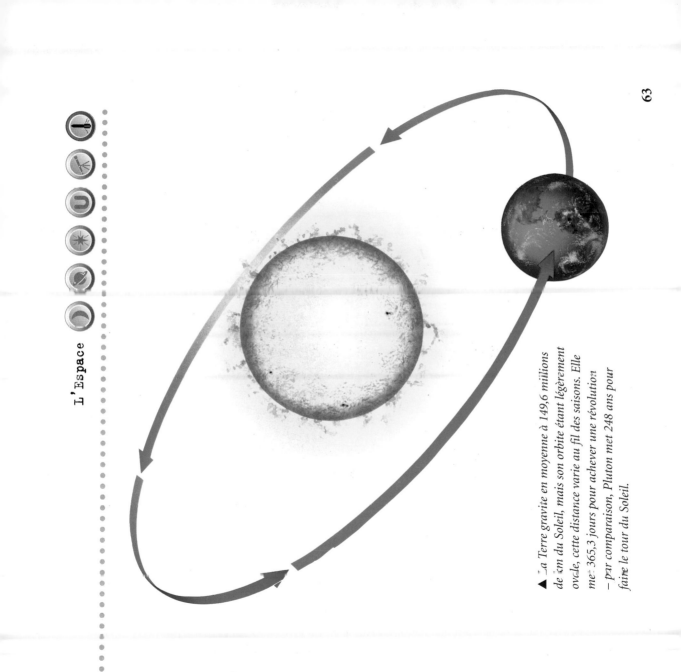

▲ La Terre gravite en moyenne à 149,6 millions de km du Soleil, mais son orbite étant légèrement ovale, cette distance varie au fil des saisons. Elle met 365,3 jours pour achever une révolution – par comparaison, Pluton met 248 ans pour faire le tour du Soleil.

Les satellites artificiels

- **Les satellites** sont des objets orbitant autour de planètes et autres corps célestes. Les lunes sont des satellites naturels. Les engins spatiaux mis en orbite par l'homme autour de la Terre, du Soleil ou de Saturne sont des satellites artificiels.

- **Le premier satellite artificiel,** lancé le 4 octobre 1957, fut *Spoutnik 1*.

- **Une centaine de satellites artificiels** sont lancés chaque année, parmi lesquels quelques satellites scientifiques.

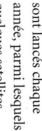

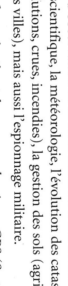

▲ *Un satellite parmi les centaines actuellement en orbite autour de la Terre.*

- **Les satellites de télécommunications** retransmettent autour de la Terre les signaux de télévision et de téléphone, des données, etc.

- **Les satellites d'observation de la Terre** recueillent des données pour la recherche scientifique, la météorologie, l'évolution des catastrophes (séismes, pollutions, crues, incendies), la gestion des sols (agriculture, expansion des villes), mais aussi l'espionnage militaire.

- **Les satellites de navigation** tels que ceux du réseau GPS (Système global de positionnement) informent les pilotes d'avions, de trains et de bateaux ou les randonneurs de leur position exacte.

- **Les satellites sont lancés** selon une trajectoire et avec une vitesse bien précises afin de se placer sur l'orbite choisie (*voir* Orbites).

- **La plupart des satellites gravitent sur orbite basse,** à environ 500 km d'altitude.

- **Un satellite en orbite géostationnaire** gravite à 35 786 km d'altitude au-dessus de l'Équateur en se déplaçant dans le même sens et à la même vitesse que la Terre afin de toujours rester exactement au-dessus du même lieu.

  - **Les satellites en orbite polaire** survolent la Terre d'un pôle à l'autre à environ 850 km d'altitude en couvrant à chaque orbite une bande différente de la planète.

▲ *Les satellites de télécommunications sont des relais : ils reçoivent les signaux d'un lieu pour les transmettre à un autre.*

L'exploration spatiale

- **L'espace est étudié** de trois façons : depuis la Terre à l'aide de télescopes puissants, par des observatoires en orbite terrestre, et par des sondes envoyées dans l'espace.

- **Les premières images** de la face cachée de la Lune ont été envoyées par la sonde spatiale soviétique *Luna 3* en octobre 1959.

- **Une mission** habitée vers Mars est envisagée vers 2016.

- **Les astronautes de la mission *Apollo*** ont mis trois jours pour atteindre la Lune.

- **Aucune sonde spatiale** n'est encore revenue d'une mission vers un autre corps céleste. La première mission avec retour est *Stardust* : partie en 1999, la sonde américaine rapportera des échantillons de comète en 2006.

- **Le vol habité** vers Mars prendra entre 6 mois et 2 ans (aller), les astronautes y restant 1 ou 2 ans.

- **Voyager jusqu'à une autre étoile** prendrait des centaines d'années avec la technologie actuelle. Il faudrait utiliser un vaisseau, hébergeant plusieurs générations d'humains, et propulsé par un moteur ionique extrayant son carburant du milieu interstellaire.

- **Les sondes *Pioneer 10 et 11*** ont emporté des plaques gravées de messages présentant notre monde à d'éventuelles intelligences extraterrestres.

▲ Apollo 11, *le célèbre vaisseau
spatial américain qui emmena
les premiers astronautes sur
la Lune en 1969.*

▲ *L'exploration de l'espace est conduite
principalement par des sondes inhabitées
guidées par des ordinateurs de bord et équipées de
nombreux instruments qui collectent et renvoient
des données vers la Terre par signaux radio.*

... LE SAVIEZ-VOUS ? ...
La NASA financerait des recherches sur des
vaisseaux spatiaux allant jusqu'aux étoiles à
travers des « trous de ver » (*voir* Trous noirs).

Les engins spatiaux

- Il y a trois types d'engins spatiaux : les satellites artificiels, les sondes automatiques et les vaisseaux habités.

- Les engins spatiaux ont une double coque (la paroi externe de l'appareil) afin de les protéger d'éventuels impacts.

- Les vaisseaux habités doivent en outre protéger l'équipage de la chaleur et du froid, des rayonnements ionisants et de divers effets dangereux liés au décollage et à l'atterrissage.

▶ *Les hypothétiques vaisseaux extraterrestres sont souvent appelés « soucoupes volantes », mais les dessinateurs modernes de science-fiction les représentent plutôt comme ceci.*

L'Espace

- **Les fenêtres** possèdent des filtres qui protègent les astronautes des dangereux rayons ultraviolets émis par le Soleil.

- **Des radiateurs** sur la coque externe du vaisseau évacuent la chaleur produite par les corps de l'équipage.

- **Les vaisseaux habités** ont des systèmes qui fournissent l'oxygène respiré par l'équipage, généralement mélangé à de l'azote (comme l'air ordinaire). Des filtres au charbon éliminent les odeurs et les microbes.

- **Le gaz carbonique** que rejette l'équipage est extrait par des billes d'hydroxyde de lithium.

- **Les toilettes spatiales** doivent fonctionner dans des conditions de faible gravité. Les astronautes s'assoient sur un dispositif qui aspire les déchets. Les déchets solides sont déshydratés et rejetés dans l'espace, mais les liquides sont recyclés.

- **Pour se laver,** les astronautes disposent d'une douche hermétique qui pulvérise sur eux des jets d'eau de toute part et aspire l'eau sale.

▲ *La navette spatiale américaine, premier engin spatial réutilisable, a rendu presque routiniers les vols habités en orbite terrestre.*

LE SAVIEZ-VOUS ?
L'apesanteur régnant dans l'espace fait que les astronautes dorment en flottant dans l'air, retenus par des sangles.

Les fusées

- **Les fusées** fournissent la gigantesque poussée exigée pour vaincre l'attraction gravitationnelle de la Terre et propulser un engin spatial dans l'espace.

- **Un lanceur brûle des propergols** afin de produire des gaz brûlants qui, éjectés par des tuyères, le propulsent par réaction.

- **Les propergols** se présentent généralement sous deux formes, un comburant solide ou liquide et un oxydant.

- **Le comburant solide** est une substance caoutchouteuse contenant de l'hydrogène. Il est habituellement utilisé par les *boosters* d'appoint.

- **Le comburant liquide** est généralement de l'hydrogène. Il est utilisé surtout par les grosses fusées.

- **Il n'y a pas d'oxygène dans l'espace.** Il faut donc fournir un oxydant pour brûler le comburant – c'est généralement de l'oxygène liquide.

- **Les premières fusées** ont été conçues en Chine il y a environ 1 000 ans.

- **Robert Goddard** fit voler en 1926 la première vraie fusée à propergols liquides.

- **Les missiles de guerre V2 allemands,** conçus par Wernher von Braun, furent les premières fusées capables d'atteindre l'espace.

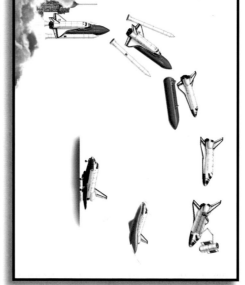

▲ *Pour décoller, la navette spatiale américaine utilise d'abord deux fusées d'appoint (les boosters), puis ses propres moteurs alimentés par un énorme réservoir de propergols (en rouge). Boosters et réservoir se détachent une fois vides.*

▲ *À la différence des autres engins spatiaux, la navette spatiale atterrit comme un avion et est réutilisable. Mais elle doit être lancée à l'aide d'énormes fusées d'appoint auxquelles elle est fixée. Celles-ci retombent rapidement sur Terre et sont récupérées pour être réutilisées.*

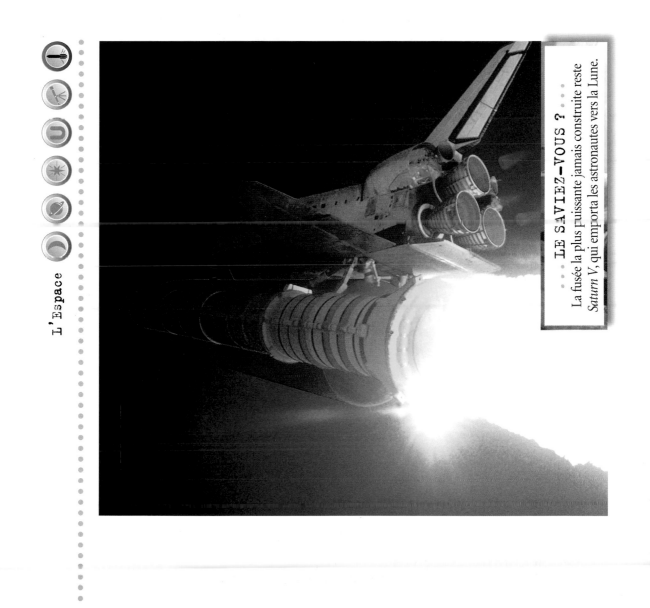

LE SAVIEZ-VOUS ?

La fusée la plus puissante jamais construite reste *Saturn V*, qui emporta les astronautes vers la Lune.

Le décollage

- **La plus grande difficulté** d'un lancement spatial est de vaincre l'attraction de la gravité de la Terre.

- **Pour lutter contre la gravité terrestre,** un engin spatial doit atteindre une vitesse particulière.

- **La vitesse minimale nécessaire** pour vaincre la gravité et rester en orbite autour de la Terre est appelée la vitesse de satellisation.

- **Si un engin spatial atteint 140 %** de la vitesse de satellisation, il va assez vite pour échapper à la gravité terrestre : c'est la vitesse de libération.

- **La poussée** qui fait décoller un engin spatial est fournie par de très puissantes fusées appelées lanceurs.

- **Les lanceurs** sont divisés en sections appelées étages, qui se séparent à mesure qu'ils ont rempli leur tache.

- **Le premier étage** doit tout soulever ; sa poussée doit donc être supérieure aux poids combinés du lanceur et de l'engin spatial. Il est largué quelques minutes après le décollage.

- **Le second étage** et les suivants accélèrent l'engin spatial jusqu'à la vitesse requise.

- **Une fois les étages** du lanceur largués, le moteur-fusée de l'engin spatial s'allume.

▶ *Un engin spatial ne peut utiliser d'ailes pour décoller, celles-ci ne fonctionnant que dans la basse atmosphère où l'air est assez dense pour les porter. Les fusées du lanceur doivent développer une poussée suffisante pour emporter la charge vers l'espace en dominant la gravité dans un formidable dégagement de chaleur.*

LE SAVIEZ–VOUS ?

Pour rester en orbite à 200 km d'altitude, un engin spatial doit voler à plus de 8 km par seconde.

La navette spatiale

- **La navette spatiale** américaine est un vaisseau spatial habité réutilisable. Elle se compose d'un orbiteur en forme d'avion long de 37,2 m, d'un réservoir et de deux boosters (des propulseurs d'appoint à propergol solide).

- **L'orbiteur** (la navette proprement dite) décolle en position verticale, fixé à son réservoir et aux boosters qui se détacheront et seront récupérés. Sa mission achevée, il atterrit comme un planeur.

- **Les trois moteurs principaux** placent la navette sur son orbite de transfert. Une fois à la bonne altitude, les petits moteurs du système de manœuvres orbitales (en anglais, *OMS*) prennent le relais. Le système de contrôle de réaction (RCS) effectue les petites corrections de position de la navette.

- **L'orbiteur évolue** en orbite basse – entre 300 et 700 km d'altitude.

- **La navette remplit** trois types de missions : placer un satellite en orbite, récupérer et réparer sur place un engin déjà satellisé.

- **L'orbiteur emporte** jusqu'à 29 tonnes de charge utile dans sa soute.

- **Les quatre navettes** ont été baptisées d'après d'anciens vaisseaux à voile : *Columbia, Challenger, Discovery* et *Atlantis*.

▶ À l'avenir, des avions spatiaux plus rapides pourraient succéder aux navettes afin que les hommes puissent explorer d'autres planètes.

L'Espace

- **Le programme de lancement** des navettes fut temporairement interrompu après l'explosion en 1986 de *Challenger* qui tua ses sept passagers.

- **En 1990, l'équipage de *Discovery*** plaça le télescope spatial *Hubble* en orbite à 620 km d'altitude (record d'altitude).

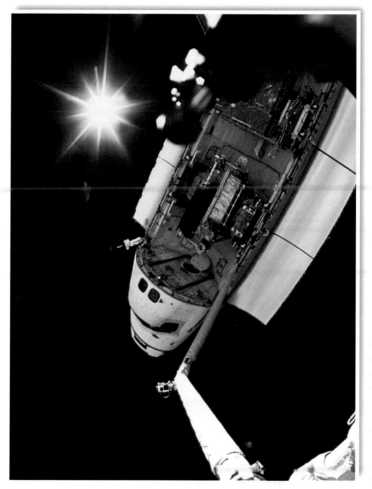

▲ *La partie centrale de l'orbiteur est une soute qui s'ouvre sur l'espace afin de larguer la charge utile. Le bras télémanipulateur (sur la gauche) saisit les sate lites.*

Les sondes spatiales

- **Les sondes spatiales** sont des engins automatiques envoyés dans l'espace et qui sont contrôlés par un ordinateur embarqué.

- **Le premier succès d'une sonde planétaire** fut celui de la sonde américaine *Mariner 2* qui survola Vénus en 1962.

- *Mariner 10* atteignit Mercure en 1974.

- **Les sondes américaines *Viking 1* et 2** ont atterri sur Mars en 1976.

- **La sonde américaine *Voyager 2*** a parcouru plus de 13 milliards de km et a franchi les limites du Système solaire après avoir survolé Jupiter (1979), Saturne (1981), Uranus (1986) et Neptune (1989).

- **La plupart des sondes effectuent des survols** de leur objectif durant quelques jours seulement. Elles envoient au fur et à mesure leurs données vers la Terre par signaux radio.

- **Certaines sondes se satellisent** autour d'une planète, d'une lune ou d'un astéroïde et y envoient un module d'atterrissage.

- **Pour économiser du combustible** lors des voyages interplanétaires, les sondes utilisent la gravité des planètes qui les accélère comme une fronde : c'est l'assistance gravitationnelle.

- **Plus de 50 sondes spatiales** seront lancées dans la première décennie du XXIe siècle pour visiter des planètes, des astéroïdes, des comètes et observer la Lune et le Soleil.

- **Au cours du XXIe siècle**, des sondes devraient rapporter sur Terre des échantillons de sol de Mars, de comètes et d'astéroïdes.

▲ Voyager 2 a utilisé la gravité de Saturne pour se propulser jusqu'à Uranus et Neptune.

▶ Les sondes sont équipées de nombreux instruments pour recueillir des données et les transmettre à la Terre.

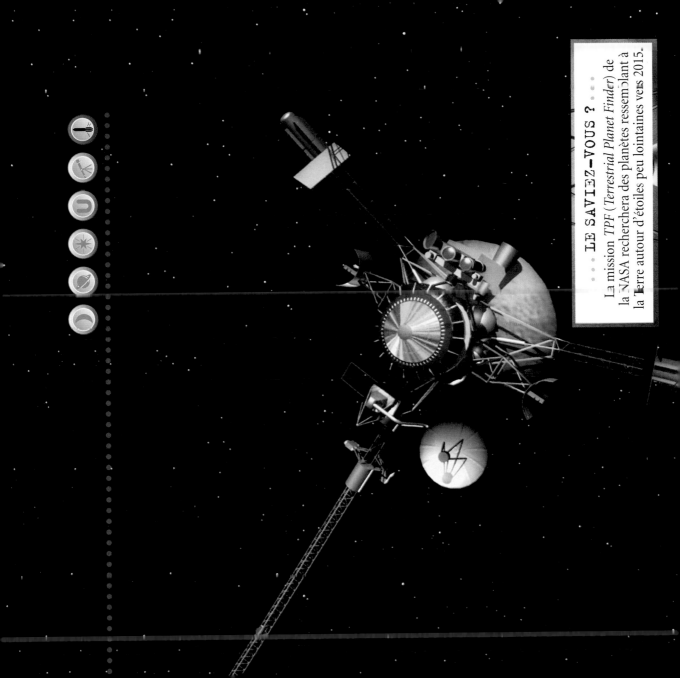

Les sondes Voyager

● **Les sondes spatiales américaines** *Voyager*, au nombre de deux, ont été envoyées explorer les planètes externes du Système solaire et leurs lunes.

● *Voyager 1* a été lancée le 5 septembre 1977. Elle a survolé Jupiter en mars 1979, puis Saturne en novembre 1980, et a continué sa trajectoire incurvée jusqu'aux limites du Système solaire qu'elle a quitté en 1990.

● *Voyager 2* voyageait plus lentement. Lancée 2 semaines avant *Voyager 1*, elle a atteint Jupiter en juillet 1979 seulement, puis Saturne en août 1981.

● **Les sondes** *Voyager* ont utilisé l'assistance gravitationnelle de Jupiter pour repartir vers Saturne.

● **Tandis que** *Voyager 1* sortait du Système solaire, *Voyager 2* a poursuivi sa route vers Uranus, survolée en janvier 1986, puis Neptune (24 août 1989). Elle a pris les premières photographies rapprochées de ces deux planètes.

● **Les sondes** *Voyager* ont révélé les volcans actifs de Io, l'une des lunes galiléennes de Jupiter.

● *Voyager 2 a découvert* dix nouvelles lunes et deux anneaux autour d'Uranus.

● *Voyager 2 a découvert* six nouvelles lunes et deux nouveaux anneaux autour de Neptune.

▲ *Io, la lune de Jupiter survolée par Voyager 2 en 1979, doit sa couleur orange aux rejets de soufre de ses volcans actifs.*

▶ *Voyager 2 a atteint Neptune en 1989 et nous a envoyé une moisson d'informations nouvelles sur la lointaine planète.*

LE SAVIEZ-VOUS ?

Les sondes *Voyager* resteront en contact radio avec la Terre jusqu'en 2020, puis elles poursuivront leur voyage au-delà du Système solaire.

Le voyage dans l'espace

- **Le premier satellite artificiel**, *Spoutnik 1* (soviétique), fut lancé en 1957.

- **La première créature vivante** dans l'espace fut la chienne Laïka à bord du *Spoutnik 2*, en 1957. Malheureusement elle mourut au bout de 7 jours, puisque rien n'était prévu pour la récupérer. Le septième jour dans l'espace, sa ration de nourriture contenait un poison destiné à l'euthanasier.

- **Le premier vol d'un homme** dans l'espace est celui du cosmonaute soviétique Youri Gagarine à bord du *Vostok 1* en avril 1961.

- **Le premier atterrissage contrôlé sur la Lune** a été accompli par le module lunaire soviétique *Luna 9* en février 1966.

- En 1970 **la sonde soviétique** *Venera 7* toucha pour la première fois le sol d'une autre planète.

- **Les deux véhicules robotisés** soviétiques *Lunakhod* ont parcouru un total de 47 km à travers la Lune au début des années 1970.

- **L'avènement de la navette spatiale** en 1981 a rendu bien plus facile la satellisation en orbite basse.

- **Des cosmonautes** ont passé plus de 12 mois d'affilée dans l'espace à bord de la station spatiale *Mir*.

- **Le cosmonaute Valery Poliakov** a totalisé 679 jours dans l'espace, dont le plus long séjour continu à bord de la station *Mir* (437 jours).

▼ Laïka, la première créature vivante envoyée dans l'espace à bord de l'engin spatial soviétique *Spoutnik 2.*

▼ La navette spatiale américaine peut atteindre près de 30 000 km/h.

... LE SAVIEZ-VOUS ? ...
Le successeur de la navette, le X33 de Lockheed
Martin, aurait facilité les vols orbitaux.
Un prototype à l'échelle 1/2 a été construit,
mais le projet a été abandonné.

Les astronautes

- **Le terme « astronaute »**, très utilisé, est d'origine américaine ; désigne un astronaute soviétique, et « spationaute », un français. Les tout premiers astronautes étaient des pilotes d'avions supersoniques.

- **Les astronautes** doivent avoir un excellent état physique et une très bonne vue.

- **Les astronautes américains sont entraînés** par l'agence spatiale américaine (la NASA) au Centre spatial Johnson près de Houston (Texas). L'agence spatiale française est le CNES, l'agence européenne, l'ESA.

- **La navette spatiale américaine** emporte trois types d'astronautes : les pilotes, les spécialistes de mission et les spécialistes de la charge utile.

- **Le rôle du pilote** (ou commandant) est de diriger la mission et de maîtriser le vaisseau.

- **Les spécialistes de mission** sont des membres d'équipage effectuant des tâches spécifiques telles que des expériences d'endurance physique ou des sorties dans l'espace.

- **Les spécialistes de la charge utile** ne sont pas des membres de la NASA mais des scientifiques ou des invités.

▼ *Pour répondre aux besoins des missions spatiales et les aider à supporter l'apesanteur, les astronautes subissent un entraînement intensif. Ils passent aussi de longues heures dans des simulateurs et des jets.*

- **Les astronautes apprennent** la plongée sous-marine pour s'entraîner aux sorties dans l'espace.

- **L'entraînement des astronautes** comprend la simulation de l'apesanteur lors de vols en chute libre à bord d'avions et en piscine. Les astronautes subissent aussi des pressions atmosphériques très hautes et très basses.

- **L'apesanteur** (quand le poids devient presque nul) fait grandir les astronautes de plusieurs centimètres après une longue mission.

▲ *L'équipage d'Apollo 11 a mené la première mission habitée à destination de la Lune. Neil Armstrong (à gauche) et Edwin Aldrin (à droite) ont été les premiers hommes à marcher sur la Lune. Michael Collins (au centre) pilotait le module de commande, le Columbia, en orbite autour de la Lune.*

Les sorties dans l'espace

- **Le terme technique** désignant une sortie hors du vaisseau spatial est activité ou sortie « extravéhiculaire » (EV).

- **Le cosmonaute Alexei Leonov** est la première personne à être sortie dans l'espace, en 1965.

- **La plus longue sortie EV** est le fait d'astronautes de la navette spatiale qui ont travaillé 8 h 29 min dans le vide spatial.

- **Lors des premières sorties EV,** les astronautes étaient reliés à leur vaisseau par des câbles.

- **Aujourd'hui, la plupart** des sorties se font avec le MMU (*Manned Manoeuvring Unit* ou fauteuil spatial). Ce système de propulsion individuel, porté sur le dos et propulsé par des petites fusées, permet à l'astronaute de se mouvoir librement dans l'espace.

- **L'astronaute américain Bruce McCandless** est le premier à avoir essayé le fauteuil spatial, en 1984.

- **Les avaries** de la station *Mir* et de divers satellites ont pu être réparées grâce aux sorties EV.

- **Les astronautes** participant à la construction de la Station spatiale internationale devront travailler plus de 1 700 heures dans l'espace pour achever celle-ci.

▲ *Une fois achevée, la Station spatiale internationale (ISS) mesurera plus de 100 mètres de long et pèsera 455 tonnes. Les sorties dans l'espace sont essentielles à sa construction dont la fin est prévue pour 2004.*

LE SAVIEZ-VOUS ?

Pour leurs sorties EV, les astronautes seront un jour aidés par une caméra-robot volante de la taille d'un ballon de volley.

▲ *Un astronaute lors d'une sortie dans l'espace en MMU (Manned Manoeuvring Unit ou fauteuil spatial).*

La conquête de la Lune

- **Le premier atterrissage sur la Lune** – ou alunissage – a été réalisé par la sonde automatique soviétique *Luna 9*, qui se posa en douceur sur sa surface le 3 février 1966.

- **Les premiers hommes en orbite autour de la Lune** furent l'équipage américain d'*Apollo 8* en 1968.

- **Le 20 juillet 1969**, les astronautes américains Neil Armstrong et Edwin (Buzz) Aldrin devinrent les premiers hommes ayant marché sur la Lune.

- **Quand Neil Armstrong** fit le premier pas sur la Lune, il prononça cette phrase célèbre : « C'est un petit pas pour l'homme, un pas de géant pour l'humanité. »

- **Douze hommes** se sont posés sur la Lune entre 1969 et 1972.

- **Les astronautes** ont ramené 380 kg de roches lunaires.

- **Les mesures de télémétrie laser** ont montré que la Lune se trouve en moyenne à 376 275 km de la Terre.

- **Un miroir** a été laissé sur la Lune afin de réfléchir un faisceau laser terrestre qui mesure avec une extrême précision la distance Terre-Lune.

- **La gravité à la surface de la Lune** est si faible que les astronautes peuvent sauter en l'air malgré leurs lourdes combinaisons spatiales.

- **La température sur la Lune,** en l'absence d'atmosphère, atteint 117 °C à midi puis chute à -162 °C la nuit.

▲ *La mission Apollo 13 faillit se terminer tragiquement lorsqu'une explosion ravagea le module de service. L'équipage réussit à revenir sur Terre à l'intérieur du module de commande.*

▲ Le premier véhicule de transport lunaire ou rover fut utilisé par l'équipage d'Apollo 15.

Les combinaisons spatiales

- **Les combinaisons spatiales protègent** les astronautes qui sortent du vaisseau spatial. Elles sont aussi appelées EMU (*Extra-vehicular Mobility Unit* ou unité de mobilité extravéhiculaire).

- **Les couches externes** d'une combinaison spatiale protègent des radiations dangereuses du Soleil et des impacts des micrométéorites – des petites particules de matériau arrivant de l'espace à la vitesse d'une balle de fusil.

- **Le casque et sa visière antisolaire** protègent aussi des radiations et des micrométéorites.

- **L'oxygène circule** tout autour du casque pour éviter que de la buée ne se dépose sur la visière.

- **Les couches intermédiaires** d'une combinaison spatiale sont gonflées comme un ballon pour maintenir en douceur le corps de l'astronaute, mais en fait, les astronautes de petite corpulence flottent un peu dans leur combinaison.

- **Le revêtement intérieur** d'une combinaison spatiale, doux, est parcouru de tuyaux d'eau qui refroidissent ou réchauffent le corps de l'astronaute selon les besoins.

- **Le pack dorsal** fourni de l'oxygène pur pour que l'astronaute puisse respirer et élimine le gaz carbonique qu'il rejette. Le réservoir d'oxygène a une autonomie maximale de 7 heures.

- **Les doigts des gants** sont recouverts d'une couche de caoutchouc et de silicone qui confère un certain sens du toucher.

- **Divers dispositifs** dans la combinaison gèrent les liquides, notamment un tube qui fournit de l'eau et un autre qui collecte l'urine.

- **Le coût total** d'une combinaison spatiale est d'environ 12 millions d'euros dont 70 % pour le pack dorsal et le module de contrôle.

▲ *Les combinaisons spatiales doivent non seulement fournir aux astronautes des moyens de survie (oxygène, eau, etc.) mais aussi les protéger des dangers de l'espace.*

Les stations spatiales

- **La première station spatiale** fut la station soviétique *Saliout 1*, lancée en avril 1971. Son altitude très basse ne lui a permis de rester en orbite que 5 mois.

- **La première station spatiale américaine** fut le *Skylab*. Ses trois équipages ont passé 171 jours entre 1973 et 1974.

- **Dix laboratoires spatiaux européens** *Spacelab* ont été lancés par la navette spatiale américaine entre 1983 et 1998. Des centaines d'expériences et d'observations y ont été menées en mode automatique ou par des astronautes.

- **La station spatiale la plus utilisée** fut la station soviétique *Mir*. Lancée en 1986, elle a accompli plus de 76 000 orbites autour de la Terre. Son dernier équipage la quitta fin 1999.

- *Mir* **fut construite par étapes** en modules. Elle pesait 125 tonnes et avait 6 sas d'amarrage, 2 quartiers d'habitation, une salle de bain et deux petites cabines individuelles.

- **Il n'y a ni haut ni bas dans** l'espace, aussi, dans la station *Mir*, une moquette figurait le « plancher », des tableaux, les « murs », et des lampes, le « plafond ».

- **La station spatiale géante *ISS*** (la Station spatiale internationale) est aussi construite par modules qui sont amenés par des fusées ou les navettes spatiales. Elle sera achevée en 2004.

▲ *Le laboratoire spatial américain Skylab, lancé en 1973, resta en service jusqu'en 1979.*

▲ Mir était une station spatiale russe, la plus grande jamais en service. Elle a été désorbitée en mars 2001 et ses débris sont retombés dans l'océan Pacifique.

● Le premier équipage de l'ISS est arrivé en novembre 2000.

● L'ISS mesurera 108 m de long et 90 m d'envergure, et pèsera 455 tonnes.

● ● ● LE SAVIEZ-VOUS ? ● ● ● ●
L'espace habitable dans l'ISS sera supérieur à celui alloué aux passagers de deux jumbo jets.

Les planètes

- **Une planète** est un corps céleste de forme sphérique orbitant autour d'une étoile.

- **Les planètes se forment** en même temps que leur étoile à partir des restes du nuage de gaz et de poussières (le disque protoplanétaire).

- **Une planète ne fait jamais** plus de 20 % de la masse de son étoile. Plus grosse, elle deviendrait une étoile.

- **Les planètes telluriques** comme la Terre ont une surface rocheuse solide. Les géantes gazeuses comme Jupiter sont principalement formées de gaz.

- **Le Système solaire comprend** neuf planètes dont Pluton, qui est plutôt une ancienne lune ou un ancien astéroïde capturé par l'attraction du Soleil.

- **Plus de 100 planètes** ont été détectées autour d'autres étoiles que le Soleil. Ces planètes extrasolaires sont appelées exoplanètes. Le satellite français *Corot*, qui sera lancé en 2004, devrait permettre d'en détecter bien d'autres.

- **Les exoplanètes, trop éloignées** pour être vues, peuvent être détectées parce qu'elles font osciller leur étoile ou l'éclipsent.

- **Nos techniques actuelles** ne permettent de détecter que les planètes géantes proches de leur étoile.

- **Parmi les 69 étoiles** autour desquelles des planètes ont été repérées figurent 47 Ursae Majoris, 51 Pegasi et 70 Virginis. Une sœur jumelle de Jupiter tourne autour de 55 Cancri, une étoile semblable au Soleil située à 41 années-lumière.

- **L'exoplanète à l'orbite la plus rapide** est HD83443 b, autour de 51 Pegasi (un tour en 3 jours), mais elle est 20 fois plus proche de son étoile que la Terre du Soleil. Celle à l'orbite la plus longue est 47 Ursae Majoris c (2 594 jours).

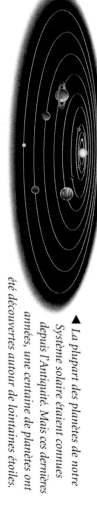

▲ *La plupart des planètes de notre Système solaire étaient connues depuis l'Antiquité. Mais ces dernières années, une centaine de planètes ont été découvertes autour de lointaines étoiles.*

▲ *Huit des neuf planètes de notre Système solaire ; du premier plan au fond, respectivement de la plus éloignée à la plus proche du Soleil : Neptune, Uranus, Saturne, Jupiter, Mars, la Terre et la Lune, Vénus et Mercure.*

Kepler

- **Johannes Kepler** (1571-1630) était un astronome allemand. Il découvrit les lois fondamentales régissant le mouvement des planètes.

- **Kepler conçut sa théorie** en étudiant le mouvement de Mars.

- **Kepler pensait qu'il existait** un rapport harmonique (au sens musical du terme) entre la vitesse de la planète au périhélie et celle à l'aphélie, qu'il appelait la « musique des sphères ».

- **Avant Kepler**, on pensait que les planètes se déplaçaient sur des cercles.

- **Kepler découvrit que la véritable forme** des orbites planétaires est une ellipse. C'est la première loi de Kepler.

- **La seconde loi de Kepler** établit que la surface balayée par le rayon de l'orbite d'une planète varie comme le temps mis à accomplir un tour d'orbite.

- **Une planète se déplace donc plus vite** sur son orbite près du Soleil (au périhélie), et plus lentement quand elle est le plus loin du Soleil (à l'aphélie).

- **La troisième loi de Kepler** stipule que le carré de la durée de révolution d'une planète (le carré du temps qu'elle met à accomplir un tour d'orbite autour du Soleil) dépend du cube de la longueur du grand axe de son orbite.

- **Les trois lois de Kepler sont universelles.** Elles décrivent le mouvement d'un satellite autour de sa planète, d'une planète extrasolaire en orbite autour de son étoile et d'une étoile autour du centre de sa galaxie.

- **Kepler a aussi écrit** un ouvrage sur la façon de mesurer la quantité de vin dans un tonneau, une méthode qui s'avéra très importante pour le calcul mathématique.

▶ *Bien qu'il ait presque perdu la vue et l'usage de ses mains à l'âge de 3 ans à cause de la variole, Johannes Kepler devint l'assistant du grand astronome danois Tycho Brahe et poursuivit son œuvre à la mort de celui-ci.*

▲ Johannes Kepler était soutenu dans ses recherches par l'empereur Rodolphe II à qui il explique ici ses découvertes sur les mouvements planétaires et auquel il dédia ses *Tables rodolphines* donnant les positions des planètes.

Mercure

- **Mercure est la planète** la plus proche du Soleil. Elle en est distante de 45,9 et 69,7 millions de km.

- **Mercure est la planète** qui orbite le plus rapidement autour du Soleil : sa période de révolution (son année) n'est que de 87,97 jours.

- **Mercure tourne sur elle-même** en 58,6 jours, soit les 2/3 de sa période de révolution – une synchronisation due à ses caractéristiques orbitales.

- **Les températures sur Mercure** varient entre -185 °C la nuit et plus de 430 °C le jour (de quoi fondre le plomb).

- **La croûte et le manteau** sont rocheux. **Le noyau** (70 % de son diamètre) est en majorité ferreux.

- **La surface poussiéreuse** de Mercure est constellée de cratères formés par les impacts de météorites.

- **Avec une masse d'environ 0,2 masse terrestre**, Mercure a pourtant une gravité de 0,4 gravité terrestre. Elle ne retient qu'une atmosphère très ténue d'hydrogène et de traces d'hélium, d'oxygène et de sodium.

- **Mercure est si petite** que son noyau a refroidi et est devenu presque entièrement solide – son champ magnétique, 7 fois moins intense que celui de la Terre, indique qu'une partie du cœur est restée fondue. En refroidissant, la planète s'est contractée et sa surface s'est ridée comme la peau d'une vieille pomme.

- **Les cratères découverts par la sonde spatiale américaine *Mariner 10*,** lancée en 1973, ont reçu des noms d'artistes célèbres tels que Bach, Beethoven, Wagner, Shakespeare ou Tolstoï.

▲ *Mercure est la plus petite des planètes telluriques.*

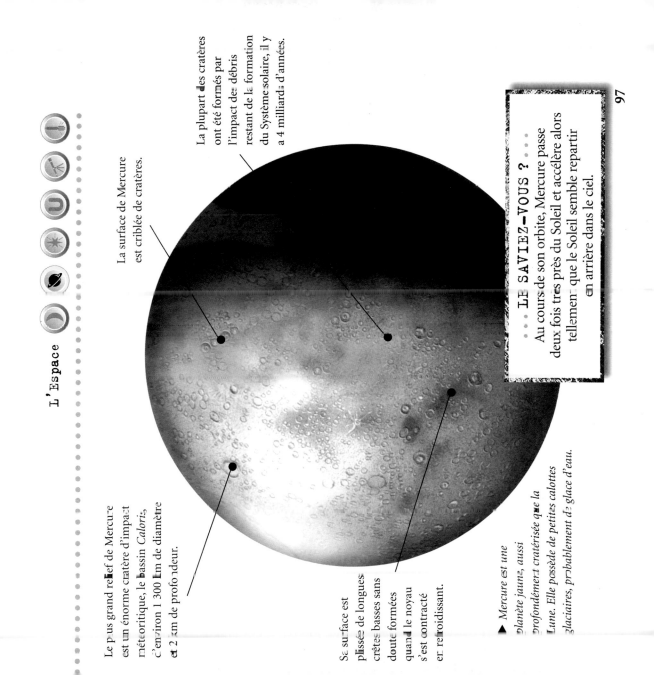

La plupart des cratères ont été formés par l'impact des débris restant de la formation du Système solaire, il y a 4 milliards d'années.

La surface de Mercure est criblée de cratères.

Le plus grand relief de Mercure est un énorme cratère d'impact météoritique, le bassin *Caloris*, d'environ 1 300 km de diamètre et 2 km de profondeur.

Sa surface est plissée de longues crêtes basses sans doute formées quand le noyau s'est contracté en refroidissant.

▲ *Mercure est une planète jaune, aussi profondément cratérisée que la Lune. Elle possède de petites calottes glaciaires, probablement de glace d'eau.*

Au cours de son orbite, Mercure passe deux fois très près du Soleil et accélère alors tellement que le Soleil semble repartir en arrière dans le ciel.

Vénus

- **Vénus est la deuxième planète** en s'éloignant du Soleil. Son orbite l'amène à 107,4 millions de km au plus près de celui-ci et à 109 millions de km au plus loin.

- **Vénus brille comme une étoile** dans le ciel nocturne car son épaisse atmosphère réfléchit très bien la lumière du Soleil – c'est l'objet le plus brillant du ciel après le Soleil et la Lune.

- **Vénus est encore appelée** Étoile du soir ou Étoile du berger, car elle apparaît juste après le coucher du Soleil, mais aussi Étoile du matin, car elle est aussi visible avant l'aube. Cela est dû à sa proximité du Soleil.

- **L'atmosphère nuageuse et dense de Vénus** est composée de 96 % de gaz carbonique et 3,5 % d'azote.

- **Vénus est la planète la plus chaude** du Système solaire, avec une température de surface de plus de 470 °C.

- **Une telle chaleur** est due à l'abondance du gaz carbonique dans l'atmosphère qui joue le rôle des vitres d'une serre en piégeant la chaleur du Soleil – c'est l'effet de serre.

- **Les épais nuages de Vénus,** riches en acide sulfurique, masquent si bien sa surface qu'avant les mesures de températures des sondes spatiales, certains l'imaginaient recouverte de jungles.

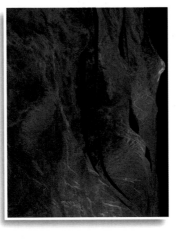

▲ *Cette vue du volcan Maat Mons, obtenue à 6 km d'altitude, n'est pas une photographie réelle mais une reconstruction numérique à partir des données radar collectées par la sonde Magellan, qui survola Vénus de 1990 à 1994. Les couleurs sont celles attribuées par les astronomes d'après leur connaissance de la chimie de Vénus.*

- **Un jour vénusien** (le temps mis par Vénus pour faire un tour sur elle-même) dure 243 jours terrestres ; il est donc plus long que son année qui dure 224,7 jours. Comme Vénus tourne en sens inverse de la Terre (sens rétrograde), le Soleil se lève deux fois durant l'orbite annuelle de la planète – une fois tous les 116,8 jours.

- **Vénus ressemble beaucoup à la Terre** par sa masse, 0,815 masse terrestre, et sa taille, avec un diamètre de 12 102 km.

▲ *Les épais nuages de Vénus réfléchissent la lumière solaire et la font briller comme une étoile mais masquent sa surface. Seuls des radars – les radiotélescopes de Gladstone et d'Arecibo et les radars de cartographie des sondes spatiales – ont pu révéler le relief de la planète.*

LE SAVIEZ-VOUS ?
La pression à la surface de Vénus est 90 fois plus forte que sur Terre !

Mars

- Mars est la planète la plus proche de la Terre après Vénus. C'est aussi la seule planète ayant une atmosphère et une température diurne se rapprochant des nôtres.

- **Appelée la Planète rouge,** Mars tient sa couleur rouille du fer oxydé contenu dans son sol.

- **Mars est la quatrième planète** à partir du Soleil et en est distante en moyenne de 227,9 millions de km. Elle accomplit sa révolution autour du Soleil en 687 jours (année martienne).

- **Mars a un diamètre de 6 786 km** et tourne sur elle-même en 24,62 heures – une période de rotation presque identique à celle de la Terre.

- **Le volcan martien Olympus Mons** est le plus gros volcan du Système solaire. Il couvre une surface comparable à l'Irlande et est trois fois plus haut que l'Everest.

- **Dans les années 1890,** l'astronome américain Percival Lowell supposa que les lignes sombres visibles dans sa lunette à la surface de Mars étaient des canaux construits par des Martiens.

- **Les sondes spatiales *Viking*** n'ont trouvé aucune preuve de vie martienne, mais la découverte de possibles micro-organismes fossiles dans une roche martienne (*voir* Vie) a relancé la recherche de la vie sur Mars. Les prochaines missions chercheront celle-ci dans le sous-sol martien.

- **Les preuves que Mars a été plus chaude et humide** par le passé s'accumulent. Les scientifiques ne peuvent toutefois pas encore dire quelle quantité d'eau était présente, ni quand et comment elle s'est évaporée.

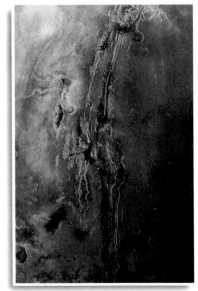

▲ *La surface de Mars est balafrée par un gigantesque réseau de canyons appelé Valles Marineris qui ridiculise notre Grand Canyon.*

● **Mars a deux petites lunes,** Phobos et Deimos, respectivement de 27 et 15 km de diamètre. Leur gravité est si faible qu'il serait possible d'attendre la vitesse de libération (d'en décoller) en pédalant à bicyclette sur une rampe !

▲ *Mars est la planète la mieux connue après la Terre. Elle a été observée par d'innombrables astronomes à l'aide de puissants téles- copes, cartographiée par des sondes spatiales orbitales et plusieurs modules y ont atterri. Ces études ont révélé une planète d'aspect désertique, rouge et rocailleuse – mais de nombreux indices prouvent qu'il n'en a pas toujours été ainsi.*

Volcan Ascraeus Mons

Valles Marineris

Calotte polaire

Volcan Pavonis Mons

Volcan Arsia Mons

LE SAVIEZ-VOUS ?
Lancée en 1996, la mission *Mars Pathfinder* a montré que les rochers autour de son site d'atterrissage (dans Ares Vallis) ont été érodés par des fleuves coulant 2 à 3 milliards d'années plus tôt.

La conquête de Mars

- **Dans les années soixante-dix,** les sondes américaines *Viking* 1 et 2 et les sondes soviétiques *Mars* 3 et 5 ont atteint la surface de Mars.

- *Mars* **3** fut la première sonde à faire un atterrissage en douceur sur Mars le 2 décembre 1971. Elle envoya des données pendant 20 secondes avant de s'éteindre subitement.

- *Viking* **1** se posa le 20 juillet 1976 et envoya les premières images en couleurs de Mars.

- **Les missions** *Viking* devaient rechercher des traces de vie mais n'en décelèrent pas. Les atterrisseurs envoyèrent de très nombreuses données sur la géologie et l'atmosphère de Mars.

- **Le 4 juillet 1997,** la sonde américaine *Mars Pathfinder* atterrit sur Mars et commença à retransmettre en temps réel des images TV de la surface de la planète.

- **Deux jours après son atterrissage,** *Mars Pathfinder* libéra un petit robot sur roues appelé *Sojourner,* chargé d'inspecter la région alentour.

- *Pathfinder et Sojourner* ont fonctionné 83 jours et pris plus de 16 000 images.

- **La première mission devant rapporter sur Terre** des échantillons de sol martien est prévue pour le début du XXIᵉ siècle.

▶ *La mission Mars Pathfinder a fourni des images époustouflantes de la surface de la Planète rouge. Beaucoup ont été prises par Sojourner tandis qu'il roulait sur le sol martien.*

L'Espace

Jupiter

- **Jupiter est la plus grosse planète** du Système solaire.

- **Jupiter n'a pas de surface solide** car elle est constituée en majorité d'hydrogène (88 %) et d'hélium – c'est une géante gazeuse.

- **La pression** régnant dans les profondeurs de Jupiter comprime l'hydrogène à l'état liquide, puis à l'état de métal solide à proximité du noyau.

- **Les Grecs l'appelaient Zeus**, en l'honneur du dieu des dieux de l'Olympe. Jupiter est le nom romain pour Zeus.

- **Jupiter effectue un tour sur elle-même** en juste 9 heures 50 minutes – autrement dit, à l'équateur sa surface est entraînée à près de 46 000 km/h.

- **Cette rotation très rapide** provoque l'aplatissement de la planète aux pôles et son renflement à l'équateur. Elle génère aussi un puissant champ magnétique par effet dynamo (*voir* Magnétisme), dix fois plus intense que celui de la Terre.

- **La Grande Tache Rouge de Jupiter** est un énorme tourbillon de nuages rougeâtres mesurant plus de 40 000 km de large. Ce cyclone géant quasi permanent fut observé pour la première fois en 1665 par Jean-Dominique Cassini.

- **Les quatre plus grosses lunes de Jupiter** ont été découvertes par Galilée au XVIIe siècle (*voir* Les lunes galiléennes de Jupiter). Io, Europe, Ganymède et Callisto s'égrènent entre 421 000 et 1 900 000 km de Jupiter.

- **Jupiter possède 19 autres lunes plus petites** – de la plus proche à la plus éloignée de Jupiter : Métis, Adrastée, Amalthée, Thébé, Léda, Himalia, Lysithéa, Elara, Ananké, Carme, Pasiphaé, Sinope, plus 7 autres, récemment découvertes, qui n'ont pas reçu de nom.

- **Jupiter émet plus de rayonnements** qu'elle n'en reçoit du Soleil (l'équivalent de 4 millions de milliards d'ampoules de 100 watts !) sous la forme d'infrarouges. L'origine de cette chaleur reste inconnue – Jupiter n'est pas assez massive pour provoquer des réactions nucléaires comme une étoile.

▶ Jupiter est une planète gigantesque de 142 984 km de diamètre à l'équateur. Son orbite, accomplie en 11 86 ans, l'éloigne de 740,9 à 815,7 millions de km du Soleil. Son atmosphère est déchirée d'énormes éclairs ; la température y varie de −150 °C en « surface » à sans doute 30 000 °C près du noyau rocheux. Jupiter nous apparaît comme un bouillonnement de nuages rouges, bruns, blancs et jaunes étirés en bandes parallèles à l'équateur, trouées de gigantesques tourbillons ovales comme la Grande Tache Rouge.

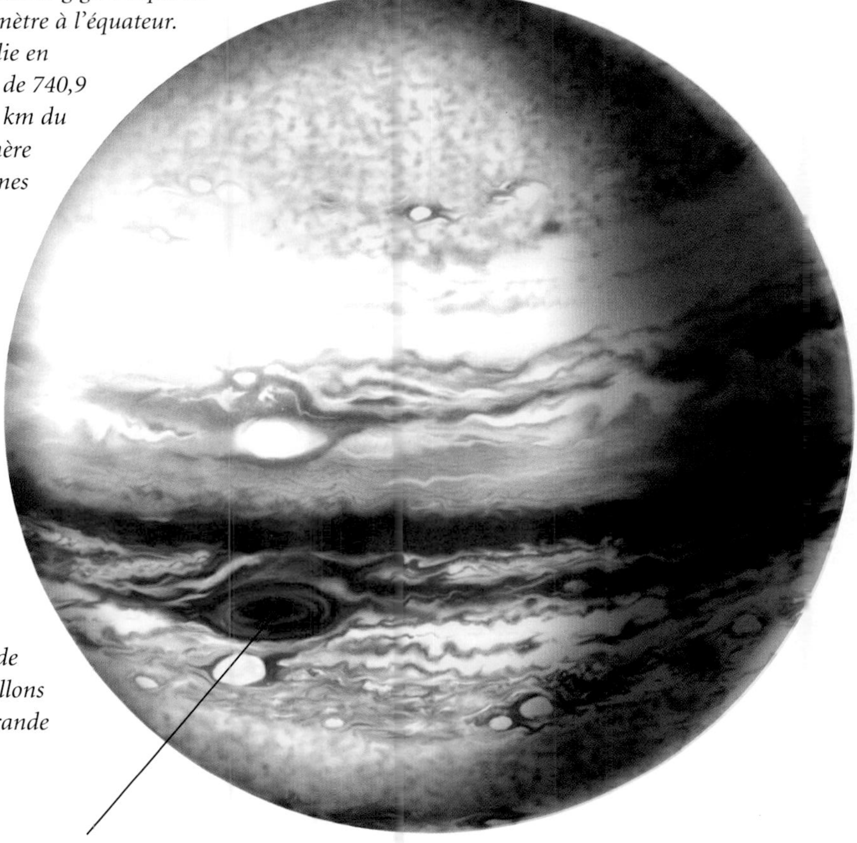

Grande Tache Rouge

105

Les lunes galiléennes de Jupiter

- **Les quatre plus grosses lunes de Jupiter** ont été vues par Galilée (d'où leur nom) des siècles avant que les astronomes découvrent les plus petites. Vous pouvez aussi les observer avec une lunette de 60 mm.

- **Ganymède** est la plus grosse des lunes galiléennes. Avec un diamètre de 5 268 km, sa taille dépasse celle de la planète Mercure.

- **La surface de glace solide de Ganymède** recouvre un océan d'eau et de glace semi-fondue de 900 km de profondeur.

- **Callisto** est la deuxième lune par la taille, avec un diamètre de 4 806 km.

- **La surface de Callisto** est criblée de cratères dus au bombardement météoritique associé à la naissance du Système solaire.

- **Io** est la troisième lune par la taille. Son diamètre moyen est de 3 642 km.

- **La surface rocheuse d'Io** est couverte de volcans engendrés par les déformations que subit la lune dans le fort champ gravitationnel de Jupiter.

- **La plus petite des lunes galiléennes** est Europe, avec 3 138 km de diamètre.

- **Couverte de glace**, Europe évoque de loin une boule de billard luisante au ton miel, mais une vue rapprochée révèle les innombrables craquelures de sa surface.

Io

Europe

▼ Une éruption volcanique sur le limbe de Io. La couleur orangée de la lune est due au soufre expulsé par ses volcans jusqu'à 300 km d'altitude.

Callisto

LE SAVIEZ-VOUS ?

Le cratère Valhalla visible à la surface de Callisto fait ressembler la lune à un globe oculaire géant.

Ganymède

Saturne

- **Saturne est la deuxième plus grosse planète** du Système solaire – elle fait 844 fois le volume de la Terre, avec un diamètre équatorial de 120 536 km.

- **Saturne met 29,46 ans** pour faire le tour du Soleil. Le parcours complet de son orbite est un voyage de plus de 4,5 milliards de km.

- **Des vents dix fois plus violents qu'un ouragan terrestre** (jusqu'à 1 100 km/h) soufflent sans interruption, vers l'est ou vers l'ouest. Ils créent ces bandes nuageuses parallèles à l'équateur caractéristiques des planètes géantes.

- **Saturne tient son nom** du dieu romain maître du temps (Chronos chez les Grecs) célébré lors des Saturnales, fêtes païennes situées vers Noël.

- **Saturne est une géante gazeuse** principalement constituée d'hydrogène (96,3 %) et d'hélium ; l'hydrogène devient liquide à mi-rayon. Son noyau, rocheux, est gros comme la Terre.

- **Saturne est si massive** que la pression en son cœur rend métallique l'hydrogène liquide. Celui-ci engendre l'intense champ magnétique de la planète.

- **Malgré sa taille,** Saturne est l'une des planètes qui tourne le plus vite sur elle-même – en 11,5 heures. Son équateur tourne à plus de 10 000 km/h.

Les anneaux de Saturne sont faits de myriades de minuscules débris rocheux enrobés de glace.

- **Plus de 30 lunes entourent Saturne,** dont 9 majeures – un record dans le Système solaire ! Les plus notables sont Titan, le plus gros satellite du Système solaire, doté d'une épaisse atmosphère, et Japet, dont une face est très claire et l'autre, presque noire.

- **Le champ magnétique intense** de Saturne produit de puissants signaux radio (*voir* Magnétisme).

▼ *Saturne est la reine des planètes. Presque aussi grosse que Jupiter, elle est d'une beauté incomparable avec ses teintes jaune pastel (des nuages d'ammoniac) et son étincelant halo d'anneaux. Mais c'est une planète secrète : les télescopes n'ont jamais pu percer sa haute atmosphère, et lors de leurs survols, les sondes Voyager se sont concentrées sur ses anneaux et ses lunes. La sonde Cassini, larcée en 1997, changera cela en plongeant dans l'atmosphère de Saturne à la fin de sa mission.*

... LE SAVIEZ-VOUS ? ...
La densité de Saturne est si faible que s'il existait un océan suffisamment grand la planète flotterait dessus.

Les anneaux de Saturne

- **Les anneaux de Saturne** sont un système d'anneaux fins faits de cristaux et de fragments de glace, de poussières et de minuscules débris rocheux qui orbitent autour de la planète dans le plan de son équateur.

- **Les anneaux brillent,** car la glace réfléchit la lumière du Soleil.

- **Les anneaux** sont peut-être issus des fragments d'une lune qui se serait désintégrée dans la gravité de Saturne avant de s'être complètement formée.

- **Galilée fut le premier** à observer les anneaux de Saturne, en 1610. Mais c'est le savant hollandais Christiaan Huygens (1629-1695) qui le premier expliqua leur nature en 1659.

- **Il y a trois principaux ensembles d'anneaux,** notés A, B et C. Sept petites lunes orbitent parmi eux.

- **Les anneaux A et B,** les plus brillants, sont séparés par un intervalle sombre, la division de Cassini – d'après l'astronome franco-italien Jean-Dominique Cassini (1625-1712) qui la remarqua en 1675.

- **L'anneau C ou « anneau de crêpe »,** large et sombre et plus proche de la planète, fut découvert en 1850.

- **Dans les années quatre-vingt, les sondes spatiales ont découvert** plusieurs nouveaux anneaux. Elles ont révélé la structure fine des anneaux, composés de milliards d'annelets larges de quelques kilomètres et de minuscules divisions.

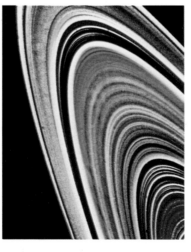

▲ *Les anneaux de Saturne sont l'une des merveilles du Système solaire, ils en font la plus belle des planètes.*

● **La succession des principaux anneaux et divisions** (de la planète vers l'espace) est la suivante : D, C, division de Maxwell, B, division de Cassini, A, division de Encke (à l'intérieur de A), F, G et E.

LE SAVIEZ-VOUS ?

Les anneaux ont plus de 270 000 km de large mais sont très minces – entre 10 et 1 000 m d'épaisseur, excepté les anneaux D, G et E, de l'ordre de 1 000 km.

▲ *Vus de près, les anneaux de Saturne sont clairement constitués de glace, de poussières et de débris rocheux enrobés de glace qui brillent au soleil.*

Uranus

- **Uranus** est la septième planète à partir du Soleil. Son orbite, qu'elle met 84 ans à parcourir, l'en éloigne de 2 871 millions de km en moyenne.

- **L'axe de rotation d'Uranus** est si incliné que la planète semble rouler sur son équateur. Cette inclinaison anormale de 98° serait due à une collision avec une planète ou un très gros astéroïde, sans doute survenue bien après sa formation car ses lunes sont restées dans son plan équatorial.

- **Durant l'été uranien**, le Soleil ne se couche pas pendant 21 ans tandis qu'en hiver, la nuit règne durant 21 ans. En automne et au printemps, le Soleil se lève et se couche toutes les 9 heures.

- **Uranus possède au moins 21 lunes** nommées d'après les personnages des pièces de W. Shakespeare. Les cinq lunes majeures – Ariel, Umbriel, Titania, Obéron et Miranda – étaient connues avant l'arrivée de la sonde *Voyager 2* qui en a découvert 11 autres plus petites en 1986. Les dernières ont été découvertes par des télescopes terrestres.

- **Miranda, la plus proche d'Uranus**, est la lune la plus étrange. Elle semble avoir explosé puis s'être reformée.

- **Uranus est si loin du Soleil** qu'elle est extrêmement froide. La lumière du Soleil met 8 minutes pour aller jusqu'à la Terre mais 2,5 heures pour atteindre Uranus.

- **La « surface » d'Uranus est difficile à situer.** Les planétologues ont défini l'altitude « zéro » comme le point où la température de l'atmosphère passe par un minimum de -210 °C : au-dessus, c'est l'atmosphère, au-dessous, l'intérieur d'Uranus.

Uranus a son propre système d'anneaux très sombres.

- **L'atmosphère d'Uranus** (environ 30 % du rayon de la planète) est composée de 85 % d'hydrogène, moins de 15 % d'hélium, et d'un peu de méthane qui lui donne sa magnifique couleur bleu-vert. Les vents y soufflent à plus de 600 km/h, poussant de rares nuages blancs de méthane.

- **Sous l'atmosphère s'étend un « océan »** d'au moins 10 000 km de profondeur, composé d'hydrogène, d'hélium, de méthane et d'ammoniac liquides. Le noyau d'Uranus n'est sans doute pas rocheux : l'océan se prolongerait jusqu'au cœur de la planète, l'hydrogène et l'hélium étant remplacés par de l'eau.

- **Nommée d'après Uranie,** déesse grecque de l'astronomie, Uranus est à peine visible depuis la Terre ; même dans une lunette elle a l'aspect d'une étoile. Elle ne fut pas identifiée avant 1781 (*voir* Herschel).

▼ *Uranus est la troisième plus grande planète du Système solaire avec un diamètre de 51 118 km et une masse 14,53 fois plus élevée que la Terre. La planète tourne sur elle-même en 17,24 heures mais comme elle roule sur son équateur, cela n'a aucune incidence sur la durée du jour uranien – celui-ci dépend du point de l'orbite où se trouve la planète. Comme Saturne, Uranus a des anneaux, mais ceux-ci sont bien plus fins et n'ont été détectés qu'en 1977 ; ils sont faits du matériau le plus sombre du Système solaire.*

Uranus a une atmosphère gazeuse composée principalement d'hydrogène, avec des traces de méthane qui lui donne son étonnante couleur bleue.

L'atmosphère se fond peu à peu en un immense océan de gaz liquéfiés par la pression monstrueuse.

113

Neptune

- **Neptune est la huitième planète** à partir du Soleil dont elle est distante de 4 456 à 4 537 millions de km. Elle en reçoit 900 fois moins de lumière que la Terre.

- **Neptune a été découverte** en 1846 parce que deux mathématiciens, le Français Urbain Le Verrier et l'Anglais John Adams calculèrent la position et la masse de l'objet céleste qui perturbait le mouvement d'Uranus.

- **Neptune est si éloignée** du Soleil qu'un tour d'orbite (année) dure 164,79 années terrestres. En fait, depuis sa découverte en 1846, elle n'a toujours pas achevé une révolution complète.

- **Comme Uranus, Neptune a une atmosphère** glaciale d'hydrogène et d'hélium qui se fond en un océan, mais son noyau est rocheux.

- **Contrairement à Uranus,** presque parfaitement bleue, Neptune montre des nuages blancs de méthane créés par des transports de chaleur depuis l'intérieur de la planète.

- **Neptune est agitée par les vents les plus forts** du Système solaire – ceux-ci peuvent atteindre 2 500 km/h.

- **Neptune possède 8 lunes,** nommées d'après les mythes grecs : Naïade, Thalassa, Despina, Galatée, Larissa, Protée, Triton et Néréide par ordre d'éloignement croissant.

- **La plus grosse lune, Triton,** est rétrograde. Faite de glace et de roches, elle possède une atmosphère riche en azote et en méthane.

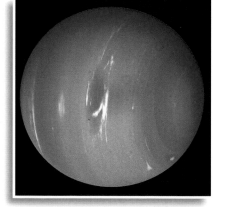

▲ Cette photographie de Neptune, prise en 1989 par la sonde Voyager 2, montre la Grande Tache Sombre et la petite traînée nuageuse blanche baptisée le Scooter.

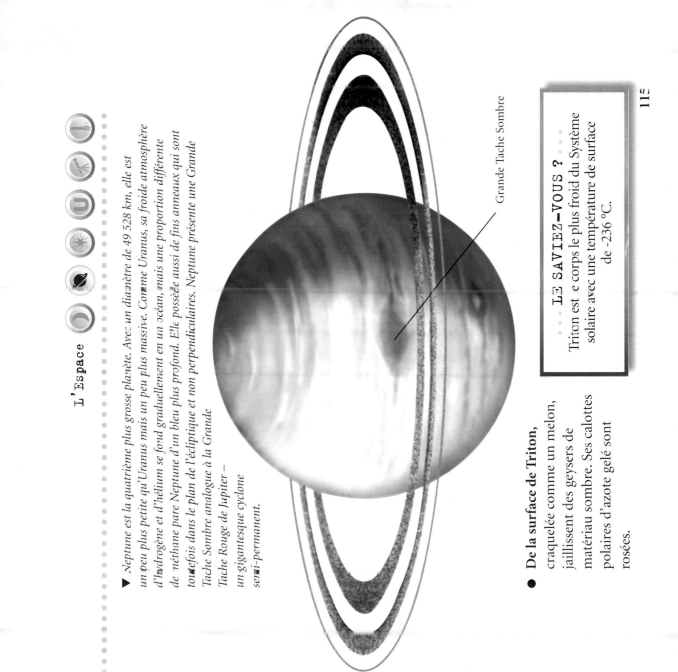

L'Espace

▼ Neptune est la quatrième plus grosse planète. Avec un diamètre de 49 528 km, elle est un peu plus petite qu'Uranus mais un peu plus massive. Comme Uranus, sa froide atmosphère d'hydrogène et d'hélium se fond graduellement en un océan, mais une proportion différente de méthane pare Neptune d'un bleu plus profond. Elle possède aussi de fins anneaux qui sont toutefois dans le plan de l'écliptique et non perpendiculaires. Neptune présente une Grande Tache Sombre analogue à la Grande Tache Rouge de Jupiter – un gigantesque cyclone semi-permanent.

Grande Tache Sombre

● **De la surface de Triton,** craquelée comme un melon, jaillissent des geysers de matériau sombre. Ses calottes polaires d'azote gelé sont rosées.

LE SAVIEZ-VOUS ?
Triton est le corps le plus froid du Système solaire avec une température de surface de -236 °C.

115

Pluton

- **Pluton a été la dernière planète découverte.** Elle fut recherchée pour expliquer les légères perturbations des orbites de Neptune et Uranus.

- **Pluton est la planète la plus lointaine.** Sa distance au Soleil varie de 4 730 à 7 375 millions de km.

- **Le Soleil est si loin** de Pluton que, depuis la planète, il n'est pas plus gros qu'une étoile dans le ciel nocturne terrestre et n'éclaire pas plus que la Lune.

- **L'orbite de Pluton** l'emmène si loin qu'il lui faut 248,54 ans pour faire le tour du Soleil. Si l'année plutonienne dure plus de deux siècles terrestres, un jour n'y dure « que » 6,39 jours terrestres. La rotation de la planète sur elle-même est à l'inverse du sens habituel (rétrograde).

- **L'étrange orbite de Pluton,** très elliptique, l'amène en fait plus près du Soleil que Neptune pendant quelques années, à son passage au périhélie. De plus, son axe de rotation est incliné de 98,3° – comme Uranus, elle « roule » sur le flanc.

- **Contrairement aux autres planètes** qui orbitent presque dans un même plan (l'écliptique), le plan de l'orbite de Pluton fait un angle de plus de 17° avec l'écliptique.

- **En étudiant un cliché de Pluton** en 1978, l'astronome américain James Christy nota une « bosse » sur le disque de la planète. Celle-ci s'avéra être une grosse lune baptisée Charon.

- **Contrairement aux planètes externes,** Pluton est de nature rocheuse. Recouverte de glace d'eau surmontée de glace de méthane, elle possède une mince atmosphère de méthane. Sa lune Charon est recouverte de glace d'eau.

▲ *Comparée à la Terre (ci-dessus), Pluton est minuscule avec un diamètre 5,6 fois plus petit et une masse 500 fois inférieure. C'est pourquoi elle fut si difficile à trouver – Pluton ne fut identifiée que le 18 février 1930 par un jeune astronome américain, Clyde Tombaugh.*

- **Charon** fait environ la moitié de la taille de Pluton. De ce fait, les deux corps, de masses comparables, orbitent l'un autour de l'autre.

- **Toujours à la même place** dans le ciel de Pluton, Charon y apparaît trois fois plus grosse que la Lune.

La température diurne à la surface de Pluton serait de −133 °C, assez basse pour garder gelée la glace de méthane qui recouvre sa surface.

▲ *Ce dessin de Pluton est imaginaire car la planète est si petite et lointaine que même le télescope spatial Hubble ne montre aucun détail de sa surface. Par les analyses spectrométriques on sait toutefois que celle-ci est couverte de méthane gelé, avec des calottes polaires riches en azote et une région équatoriale riche en composés organiques rouges.*

Les étoiles

▲ *Les quelques milliers d'étoiles visibles à l'œil nu ne sont qu'une minuscule fraction des trillions d'étoiles de l'Univers.*

- **Les étoiles** sont des boules de gaz, principalement de l'hydrogène et de l'hélium.

- **Des réactions nucléaires de fusion** semblables à celles des bombes H ont lieu au cœur des étoiles et engendrent chaleur et lumière (*voir* Énergie nucléaire).

- **Le cœur des étoiles** atteint 16 millions de degrés.

- **Le gaz des étoiles** est dans un état particulier appelé plasma : la chaleur a « déshabillé » les atomes de leurs électrons (*voir* Atomes).

- **Dans le cœur d'une jeune étoile,** les noyaux d'hydrogène fusionnent pour former de l'hélium.

- **Les étoiles scintillent** car nous les voyons à travers les turbulences de l'atmosphère de la Terre.

- **La taille d'une étoile** s'estime d'après sa luminosité et sa température.

- **La taille et la luminosité d'une étoile** dépendent de sa masse – c'est-à-dire de la quantité de gaz qui la compose. Notre Soleil est une étoile ordinaire, de petite masse. Aucune étoile ne fait plus de 100 fois la masse du Soleil, ni moins de 0,06 à 0,07 fois cette masse.

- **Les étoiles les plus froides,** telles Arcturus ou Antarès, sont rouges. Plus chaudes, elles sont jaunes et blanches. Les étoiles les plus chaudes sont blanc-bleu comme Rigel ou ζ (dzêta) Puppis.

- **La supergéante bleue ζ Puppis** a une température de surface de 40 000 °C, tandis que celle de Rigel est de 10 000 °C.

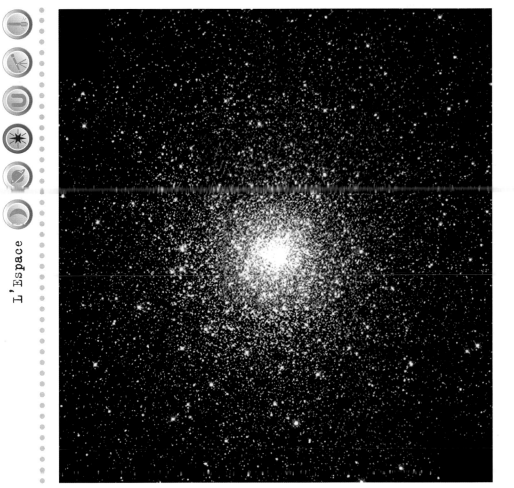

▲ *Un grand amas d'étoiles, M80 (Nac 6093) dans la Voie lactée. Cet amas, situé à 28 000 années-lumière de la Terre, contient des centaines de milliers d'étoiles rapprochées par leur attraction gravitationnelle mutuelle.*

Les cartes célestes

- **Reporter les positions des étoiles** dans le ciel est une tache complexe, car il en existe un nombre énorme, toutes à des distances très différentes.

- **Les premières cartes célestes modernes** furent les cartes allemandes Bonner Durchmusterung (BD), datant de 1859, qui montraient les positions de 324 189 étoiles. *Durch-musterung* signifie « passer en revue ».

- **La première carte AGK** de la Société astronomique allemande, achevée en 1912, répertoriait 454 000 étoiles.

- **Les cartes AGK** (aujourd'hui version 3) restent le standard des cartes célestes. Elles sont compilées à partir de photographies.

- **Les mesures précises de positions stellaires** dépendent de l'estimation très soignée de la position des 1 535 étoiles du Catalogue fondamental (FK3).

- **Les catalogues photométriques** fournissent la magnitude (ou éclat) et la couleur des étoiles en plus de leur position.

- **Les atlas photographiques** ne dressent pas une carte dessinée des positions des étoiles mais montrent leur photographie dans leur environnement céleste.

- **Les trois atlas stellaires** les plus appréciés des astronomes sont le Norton, qui donne toutes les étoiles visibles à l'œil nu, le Tirion et l'atlas photographique Stern.

OPHIUCHI s
Ophiucus

SERPENS
Serpent

SAGITTA
Flèche

AQUILA
Aigle

DELPHINUS
Dauphin

VULPECULA
Petit Renard

LYRA
Lyre

EQUULEUS
Petit Cheval

BOOTES
Bouvier

CORONA BOREALIS
Couronne boréale

HERCULES
Hercule

CYGNUS
Cygne

CEPHEUS
Céphée

LACERTA
Lézard

COMA BERENICES
Chevelure de Bérénice

CANES VENATICI
Chiens de Chasse

DRACO
Dragon

POLARI
Étoile polaire

PEGASUS
Pégase

VIRGO
Vierge

● **Les coordonnées célestes** sont les mesures qui déterminent la position d'une étoile sur une sphère imaginaire, la sphère céleste, qui a la Terre pour centre (*voir* Sphère céleste). Les coordonnées horizontales repèrent l'étoile par sa hauteur (l'angle compté depuis l'horizon, en degrés) et son azimut (l'angle en degrés fait sur l'horizon en partant du nord dans le sens des aiguilles d'une montre). Les coordonnées écliptiques sont similaires mais utilisent l'écliptique comme plan de référence au lieu de l'horizon. Les coordonnées équatoriales se comptent à partir du plan de l'équateur céleste ; ce sont l'ascension droite et la déclinaison – équivalentes à la latitude et la longitude sur le globe terrestre.

LE SAVIEZ-VOUS ?

Les configurations d'étoiles que nous appelons constellations ont été à la base des premières cartes célestes, qui remontent au IIe millénaire av. J.-C. Aujourd'hui encore les astronomes divisent le ciel en 88 constellations dont la configuration est fixée mordialement. Nombre d'entre elles portent toujours les noms mythiques donnés par les astronomes de la Grèce antique.

▼ Les cartes célestes de base montrent les 88 constellations visibles à un moment donné de l'année depuis chaque hémisphère de la Terre.
Ce dessin montre les constellations de l'hémisphère Nord visibles en décembre.

ÉCLIPTIQUE

PISCES
Poissons

CETUS
Baleine

TAURUS
Taureau

ORION
Orion

GEMINI
Gémeaux

CANIS MINOR
Petit Chien

AURIGA
Cocher

ANDROMEDA
Andromède

TRIANGULUM
Triangle

PERSEUS
Persée

CANCER
Cancer

LEO MINOR
Petit Lion

ÉCLIPTIQUE

CASSIOPEIA
Cassiopée

CAMELOPARDALIS
Girafe

LYNX
Lynx

URSA MAJOR
Grande Ourse

LEO
Lion

Les constellations

- **Les constellations sont des ensembles** d'étoiles dessinant des figures dans le ciel que les astronomes utilisent pour repérer les étoiles individuelles.

- **La plupart des constellations** ont été déterminées il y a très longtemps par les astronome de Babylone et de l'Égypte antique.

- **Les constellations sont juste des figures** visuelles – il n'y a pas de lien physique entre les étoiles qui les composent.

- **Les astronomes** reconnaissent officiellement aujourd'hui 88 constellations.

- **Les héros et créatures des mythes grecs,** tels Orion le chasseur ou l'Hydre, ont donné leur nom à de nombreuses constellations, mais ces noms sont habituellement écrits en latin et non en grec.

- **Dans une constellation,** chaque étoile est désignée par une lettre de l'alphabet grec.

- **L'étoile la plus brillante** porte la lettre α (alpha), la suivante, un peu moins brillante, la lettre β (bêta), etc.

- **Différentes constellations** deviennent visibles à des époques différentes de l'année à mesure que la Terre tourne autour du Soleil.

- **Dans l'hémisphère Sud,** les constellations sont différentes de celles visibles dans l'hémisphère Nord.

- **La constellation de la Grande Ourse** (en latin, *Ursa Major*) contient un groupe bien reconnaissable appelé Le Chariot, formé de sept étoiles qui dessinent une « casserole ».

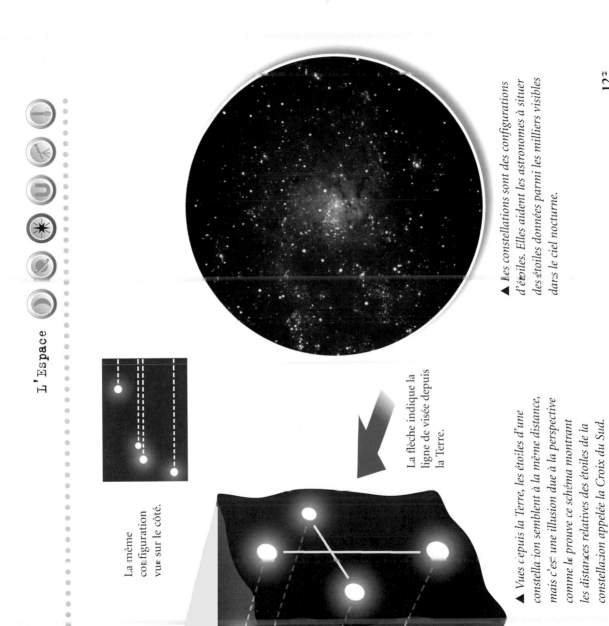

▲ Les constellations sont des configurations d'étoiles. Elles aident les astronomes à situer des étoiles données parmi les milliers visibles dans le ciel nocturne.

La même configuration vue sur le côté.

La flèche indique la ligne de visée depuis la Terre.

▲ Vues depuis la Terre, les étoiles d'une constellation semblent à la même distance, mais c'est une illusion due à la perspective comme le prouve ce schéma montrant les distances relatives des étoiles de la constellation appelée la Croix du Sud.

Le zodiaque

- **Le zodiaque est la bande du ciel** contenant les constellations devant lesquelles le Soleil semble passer au fil de l'année. Il se situe à cheval sur l'écliptique (voir schéma p. 156).

- **L'écliptique** est le plan de l'orbite de la Terre autour du Soleil. La Lune et toutes les planètes sauf Pluton orbitent aussi dans ce plan.

- **Dans l'Antiquité**, les Grecs ont divisé le zodiaque en 12 secteurs nommés d'après la constellation qui s'y trouve ; ce sont les signes du zodiaque.

- **Les 12 constellations du zodiaque** sont le Bélier, le Taureau, les Gémeaux, le Cancer, le Lion, la Vierge, la Balance, le Scorpion, le Sagittaire, le Capricorne, le Verseau et les Poissons.

- **Les astrologues** pensent que le mouvement des planètes et des étoiles a un effet sur la vie des gens. Ce ne sont pas des scientifiques.

- **Pour les astrologues**, toutes les constellations du zodiaque sont de tailles égales – ce n'est pas le cas pour les astronomes.

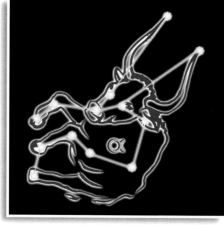

▲ *Le Taureau (en latin, Taurus).*

- **La Terre est un peu plus inclinée** sur l'écliptique que dans l'Antiquité, et les vraies constellations ne coïncident plus avec celles du zodiaque.

- **Une treizième constellation**, Ophiuchus, se trouve désormais dans le zodiaque, mais les astrologues l'ignorent.

- **Les dates** auxquelles le Soleil semble passer devant chaque constellation ne correspondent plus à celles utilisées par les astrologues pour déterminer les signes zodiacaux.

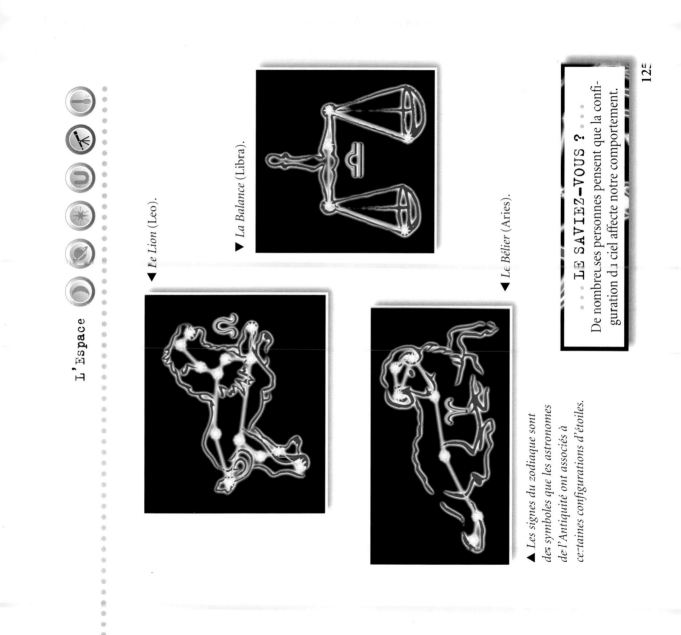

▶ Le Lion (Leo).

▶ La Balance (Libra).

▶ Le Bélier (Aries).

▶ Les signes du zodiaque sont
des symboles que les astronomes
de l'Antiquité ont associés à
certaines configurations d'étoiles.

LE SAVIEZ–VOUS ?
De nombreuses personnes pensent que la configuration du ciel affecte notre comportement.

Les galaxies

- **Les galaxies sont de gigantesques groupes** de millions, voire de centaines de milliards d'étoiles en rotation autour d'un centre. Notre propre galaxie est la Voie lactée (ou la Galaxie).

- **Il y aurait 50 milliards** de galaxies dans l'Univers.

- **Trois galaxies seulement** sont visibles à l'œil nu depuis la Terre. Proches de la Voie lactée, ce sont le Petit et le Grand Nuage de Magellan et la galaxie d'Andromède.

- **Les galaxies sont immenses,** mais elles sont si éloignées qu'elles nous apparaissent comme des taches nébuleuses. Ce n'est qu'en 1916 que les astronomes ont réalisé qu'il s'agissait d'énormes regroupements d'étoiles.

- **Les galaxies spirales** sont des galaxies en forme de roue, constituées d'un noyau dense et renflé ou « bulbe » et de bras spiralés.

- **Les galaxies spirales barrées** sont des galaxies spirales n'ayant que deux bras qui se rattachent au noyau par une barre – un peu à la manière des jets d'un tourniquet d'arrosage.

- **Les galaxies elliptiques** sont de grandes galaxies ovoïdes très âgées comprenant jusqu'à un trillion (un million de millions) d'étoiles.

- **Les galaxies irrégulières** comme le Petit Nuage de Magellan n'ont pas de forme bien définie. Elles pourraient s'être formées à partir des débris de galaxies entrées en collision l'une avec l'autre.

- **Les galaxies se regroupent elles-mêmes en amas.** Un amas de galaxies comprend une vingtaine à quelques milliers de galaxies.

▶ *Comme notre Voie lactée et M83 dans l'Hydre femelle, de nombreuses galaxies sont de type spiral. Leur noyau dense concentre la majorité des étoiles, mais leurs longs bras enroulés en contiennent quand même des millions.*

LE SAVIEZ-VOUS ?

Au centre des amas de galaxies se trouvent souvent de très grosses galaxies elliptiques dites « cannibales » parce qu'elles ont absorbé les galaxies voisines !

La Voie lactée

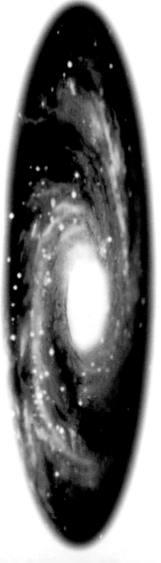

▶ *Les spirales de la Voie lactée font penser à un « soleil » de feu d'artifice.*

- **La Voie lactée** nous apparaît comme une pâle écharpe brumeuse d'aspect laiteux qui s'étire à travers le ciel nocturne.

- **Juste avec une paire de jumelles** on s'aperçoit que la Voie lactée est faite d'innombrables étoiles.

- **Une galaxie** est un vaste regroupement d'étoiles et la Voie lactée, la galaxie où nous vivons, en contient environ 200 milliards.

- **La Voie lactée est une galaxie spirale :** les étoiles y sont réparties dans un disque immense, le disque galactique, structuré en un gros noyau central ou « bulbe » et en trois bras spiralés.

- **La Voie lactée mesure 98 000 années-lumière de diamètre** et son disque, 1 300 années-lumière d'épaisseur.

- **L'énorme bulbe central** mesure environ 20 000 années-lumière de diamètre et 3 000 années-lumière d'épaisseur. Il contient surtout de très vieilles étoiles et peu de gaz et de poussières.

- **Un énorme trou noir** occupe sans doute le centre même de la Voie lactée.

- **Notre Soleil** n'est qu'une étoile parmi les millions d'étoiles du bras où nous nous trouvons, le bras principal. Le Soleil est à 28 000 années-lumière du centre de la Galaxie et à 26 années-lumière au-dessus du plan galactique.

- **La Voie lactée tourne rapidement sur elle-même**, entraînant le Soleil dans sa rotation à 790 000 km/h.

- **Le Soleil accomplit un tour avec notre Galaxie** en 200 à 250 millions d'années – un périple d'environ 170 000 années-lumière.

▼ À l'œil nu la Voie lactée ressemble à un nuage blanc diffus, mais des jumelles révèlent sa vraie nature – un brouillard de myriades d'étoiles.

Les amas de galaxies

- **La Voie lactée** appartient à un amas d'une vingtaine de galaxies appelé le Groupe local.

- **Le Groupe local** mesure environ 3 millions d'années-lumière de large.

- **Il contient trois galaxies spirales géantes,** six galaxies irrégulières dont le Grand Nuage de Magellan, et une dizaine de galaxies elliptiques naines.

- **Outre le Groupe local,** il existe des millions d'autres amas de galaxies.

- **L'amas de la Vierge,** situé à 50 millions d'années-lumière, est composé de plus de 1 000 galaxies.

- **Les amas forment** à leur tour des structures filamenteuses de centaines de millions d'années-lumière de long, les superamas. Notre Groupe local fait partie du Superamas local.

- **Les superamas les plus proches** sont ceux d'Hercules et de Pégase.

- **Les superamas dessinent à leur tour d'immenses filaments** et sont séparés par d'immenses espaces vides.

- **Les vides** entre les superamas atteignent 150 millions d'années-lumière.

···· LE SAVIEZ-VOUS ? ····

Une suite de superamas forme une vaste structure appelée le Grand mur. C'est la plus grande structure connue de l'Univers, avec une longueur de plus de 700 millions d'années-lumière pour une épaisseur de seulement 30 millions d'années-lumière.

▶ *L'espace semble être une collection informe d'étoiles et de nuages, mais toute matière tend à s'agréger. Cette loi structure l'Univers en amas — successivement d'étoiles, de galaxies et d'amas de galaxies (superamas).*

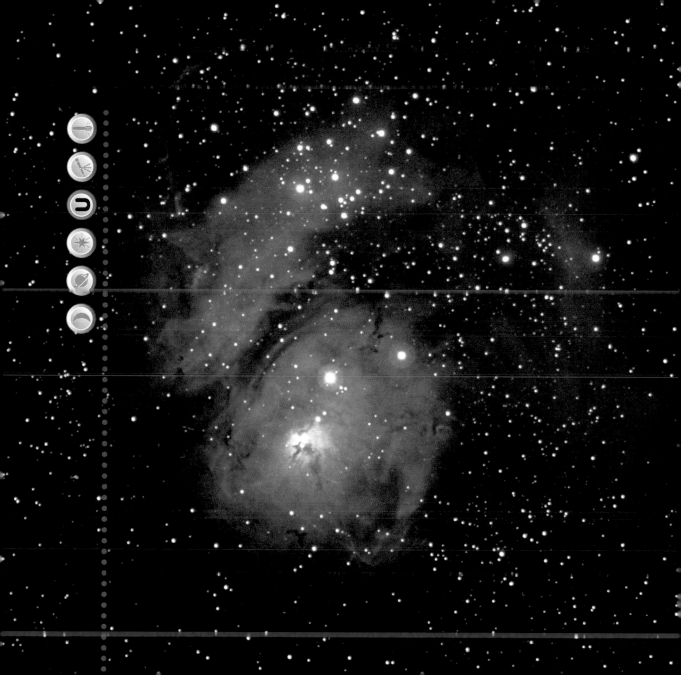

Les nébuleuses

- **Le terme** *nébuleuse* désignait autrefois une tache lumineuse et floue dans le ciel nocturne. Avec l'amélioration des moyens d'observation, beaucoup de « nébuleuses » se sont révélées être des galaxies.

- **Les nébuleuses** sont de gigantesques nuages de gaz et de poussières.

- **Les nébuleuses à émission** émettent une lumière plutôt rouge due à l'excitation de leur hydrogène par le rayonnement d'étoiles proches.

- **Orion (M42)** est une nébuleuse à émission visible à l'œil nu.

- **Les nébuleuses par réflexion** ne sont pas lumineuses par elles-mêmes, mais leurs poussières reflètent la lumière des étoiles voisines.

- **Les nébuleuses obscures** n'émettent aucune lumière – au contraire, elles absorbent tous les rayonnements. Elles sont détectables seulement sous forme de taches sombres qui bloquent la lumière des étoiles situées derrière.

▲ *Cette nébuleuse à émission est la nébuleuse Trifide, qui brille parce que les gaz d'hydrogène et d'hélium qu'elle contient sont chauffés par le rayonnement d'étoiles voisines.*

- **La nébuleuse de la Tête de Cheval** dans la constellation d'Orion est la nébuleuse obscure la plus connue. Elle rappelle le cavalier d'un jeu d'échecs.

- **Les nébuleuses planétaires** sont de minces anneaux de gaz éjectés par des étoiles à la fin de leur vie. Elles n'ont rien à voir avec les planètes.

- **La nébuleuse annulaire de la Lyre** est la plus connue de ces nébuleuses.

- **La nébuleuse du Crabe** est le reste d'une supernova ayant explosé en 1054.

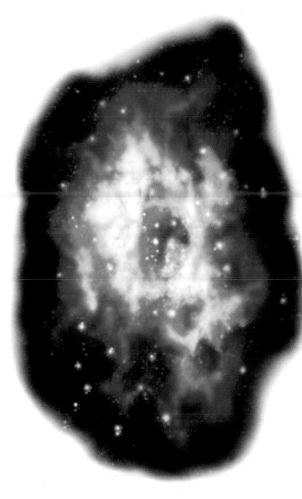

▲ Il existe deux types structurels de nébuleuses. Les nébuleuses diffuses, les plus grandes, contiennent assez de gaz et de poussières pour former 100 000 étoiles de la taille du Soleil. Les nébuleuses planétaires se forment lorsque certains types d'étoiles vieillissantes expulsent les couches externes de leur atmosphère.

La naissance d'une étoile

- **Des étoiles naissent et meurent** partout dans l'Univers. En les observant à différentes étapes de leur vie, les astronomes ont pu reconstruire leur évolution.

- **Les étoiles de masse moyenne** (entre 0,1 et 10 fois la masse de notre Soleil) vivent environ 10 milliards d'années. Les étoiles de petite masse vivent encore plus longtemps – jusqu'à 200 milliards d'années !

- **Les étoiles massives (plus de 10 masses solaires)** ont des vies courtes et tumultueuses de l'ordre de 10 millions d'années.

- **La vie d'une étoile** étoile débute au sein d'un nuage de gaz et de poussières (une nébuleuse obscure).

- **Dans la nébuleuse**, la gravité crée des concentrations de matière ou *globules stellaires* – le futur amas d'étoiles.

- **À mesure que la gravité contracte** la matière, les globules deviennent plus chauds.

- **Les plus petits globules** ne deviennent jamais assez chauds pour que l'hydrogène fusionne. Si la fusion débute quand même, elle reste insuffisante pour entretenir une véritable étoile : le globule perd son enveloppe gazeuse externe et devient une naine brune (*voir* Naines).

- **Si la température d'un globule** atteint 1 million de degrés, la fusion de l'hydrogène démarre et le bébé étoile se met à rayonner (à briller).

- **Dans une étoile de masse moyenne** comme notre Soleil, la pression des gaz chauffés par la fusion de l'hydrogène équilibre la tendance à s'effondrer sous la gravité : l'étoile est stabilisée.

- **Les étoiles de masse moyenne brûlent calmement** jusqu'à ce que leur hydrogène soit épuisé.

▶ *Les étoiles naissent en amas au sein de nuages de gaz et de poussières. Plusieurs globules stellaires sont nettement visibles sur cette vue des célèbres Piliers de la création, dans la nébuleuse de l'Aigle.*

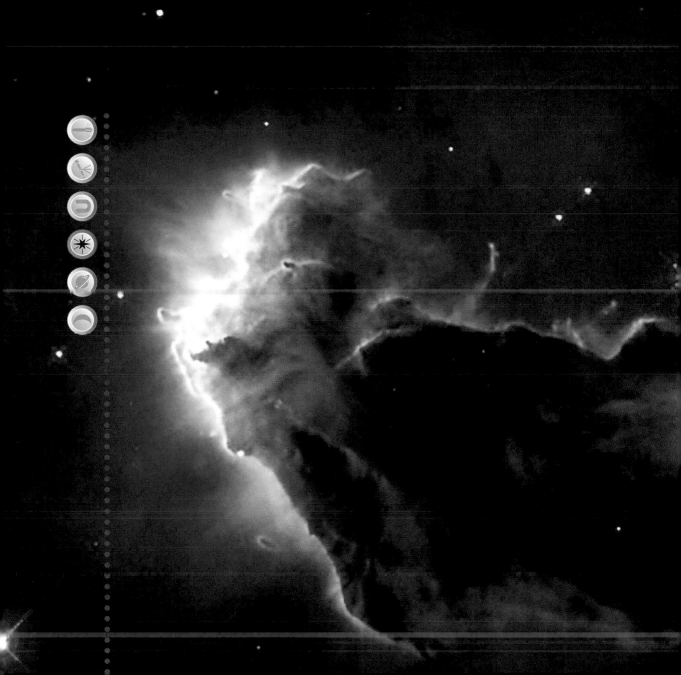

Les étoiles géantes

- **Une étoile est dite géante** si elle est au moins 10 fois plus grosse que le Soleil, et supergéante si elle dépasse 100 fois sa taille.

- **Une géante rouge** est une naine en fin de vie (*voir* Étoiles naines). Quand elle débute la synthèse du carbone et de l'oxygène, ses couches externes se dilatent (géante) et se refroidissent (rouge).

- **Elle s'effondre** en expulsant son enveloppe externe, devenant une naine blanche.

- **Une étoile géante,** de 10 à 100 masses solaires, évolue bien plus vite qu'une étoile naine. Brûlant rapidement l'hydrogène, puis l'hélium, elle synthétise des éléments de plus en plus lourds.

- **Au stade de la fusion du carbone en fer,** une étoile géante devient instable et évolue en supergéante rouge.

- **Une supergéante rouge** comme Antarès est au moins 500 fois plus grosse que le Soleil. Elle synthétise le fer et le nickel puis s'effondre, devenant une étoile à neutrons.

- **Une supergéante de plus de 100 masses solaires** comme Rigel est souvent bleue et très lumineuse – sa magnitude absolue peut atteindre -12.

- **La pression au cœur d'une supergéante** permet de synthétiser des éléments plus lourds que le fer.

- **En fin de vie,** une supergéante explose en supernova. Le noyau résiduel s'effondre en étoile à neutrons ou, s'il est très massif, en trou noir.

- **Tout le fer** de l'Univers a été fabriqué dans les géantes rouges et les supergéantes.

▲ *Une supergéante rouge est une étoile géante arrivée au stade avancé de la fusion du carbone en fer.*

L'Espace

▼ *La constellation du Cygne abrite la plus grosse étoile jamais observée dans l'Univers – la supergéante bleue 12 Cygni, près d'un million de fois plus grosse que le Soleil et 810 000 fois plus brillante.*

⋯ LE SAVIEZ—VOUS ? ⋯

Les autres plus grosses étoiles connues sont les supergéantes rouges IRS 5 avec un diamètre de 15 milliards de km et ε du Cocher (5,56 milliards de km)

Les supernovae

- **Une supernova** (au pluriel, supernovae) est l'explosion finale et titanesque d'une étoile massive (géante ou supergéante) arrivée à la fin de sa vie.

- **Quand une étoile massive a épuisé** l'hydrogène et l'hélium, elle s'effondre. La pression grimpe alors dans son cœur assez pour démarrer la fusion du carbone et de l'oxygène en éléments lourds comme le fer (*voir* Énergie nucléaire).

- **Quand la fusion du fer commence à son tour,** le cœur de l'étoile s'effondre brusquement, puis son enveloppe explose de façon cataclysmique : c'est la supernova.

- **Une supernova dure** environ une semaine mais brille autant que 100 milliards d'étoiles moyennes.

- **En 1987 apparut la supernova SN1987A,** la première visible à l'œil nu depuis celle observée par Kepler en 1604.

- **La supernova observée par les astronomes chinois** en l'an 184 fut considérée comme un mauvais présage, au point de déclencher une révolution de palais.

- **L'énorme supernova** qui explosa dans le ciel de Chine en 1054 a donné naissance à la nébuleuse du Crabe.

- **Les éléments plus lourds que le fer** sont créés dans les supernovae.

- **Après l'explosion,** le noyau résiduel de l'étoile s'effondre en étoile à neutrons. S'il est encore très massif, l'effondrement se poursuit jusqu'à la formation d'un trou noir.

- **La gigantesque enveloppe** de matière expulsée par l'étoile lors de son explosion est appelée « reste de supernova ». Cette nébuleuse poursuit son expansion rapide des millions d'années avant de se diluer dans l'espace, enrichissant celui-ci en éléments lourds.

▶ *Une supernova est un événement rare : dans notre galaxie, il s'en produit une tous les 50 ans.*

LE SAVIEZ-VOUS ?
De nombreux éléments chimiques de votre corps ont été fabriqués dans des supernovae.

Les étoiles naines

- **Les naines** sont des étoiles de taille et de masse proches de celles du Soleil – à l'exception des naines blanches, petites mais très massives (*voir* Diagramme H-R).

- **Les étoiles ordinaires** de l'Univers sont des naines ; ce sont les plus nombreuses. Notre Soleil est une naine jaune.

- **Les naines rouges** sont plus grosses que Jupiter mais plus petites que le Soleil. Elles brillent faiblement (10 000 fois moins que le Soleil). De ce fait aucune n'est visible à l'œil nu – pas même la naine rouge Proxima Centauri, l'étoile la plus proche du Soleil.

- **Les naines blanches** sont le dernier stade de la vie des étoiles naines. Bien qu'elles ne soient pas plus grosses que la Terre, elles contiennent la même quantité de matière que le Soleil.

- **L'étoile la plus brillante de notre ciel**, Sirius A dans la constellation du Grand Chien, a pour compagnon une naine blanche notée Sirius B.

- **o2 (omicron-2) Eridani** (ou 40 Eridani, qui fait partie de l'étoile triple Keid) est l'une des rares naines blanches visibles à l'œil nu depuis la Terre.

- **Les naines brunes** sont des objets très froids un peu plus gros que Jupiter.

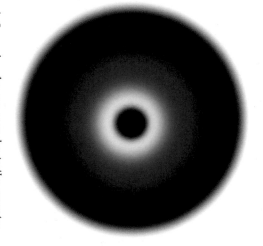

▲ *Les naines brunes sont des étoiles avortées – trop petites pour que la fusion de l'hydrogène ait démarré ou se prolonge, et qui s'éteignent lentement.*

L'Espace

- **Les naines brunes se forment** comme les autres étoiles, mais leur masse est insuffisante pour que la fusion démarre. Elles rayonnent très faiblement dans l'infrarouge la chaleur produite lors de leur formation.

- **Une partie de la masse cachée de l'Univers** se trouverait dans les naines brunes, sans doute très nombreuses mais très difficiles à détecter.

- **Les plus petites étoiles** sont les étoiles à neutrons. Ce sont aussi les plus denses.

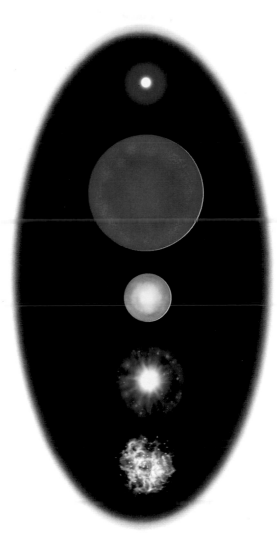

▲ *L'évolution d'une naine ordinaire comme le Soleil passe par cinq grandes phases : la formation à partir d'une nébuleuse ; une courte phase où l'étoile jeune est bleue et très brllante ; la phase longue et calme de la fusion de l'hydrogène où se trouve notre Soleil ; la géante rouge ; et enfin la naine blanche.*

Les étoiles variables

- **Une étoile variable** est une étoile qui ne brille pas de façon constante comme notre Soleil mais avec des à-coups.

- **Les variables périodiques** sont des étoiles dont l'éclat varie régulièrement. C'est le cas des Céphéides et des variables du type RR Lyrae.

- **Les Céphéides** sont des supergéantes de l'âge du Soleil situées près du plan de la Galaxie. Leur éclat varie avec une période constante de 1 à 50 jours selon l'étoile.

- **La période des Céphéides**, liée à leur luminosité absolue, est si stable qu'on utilise ces étoiles pour évaluer les distances (*voir* Distances).

- **Les étoiles variables de type *RR Lyrae*** sont des supergéantes âgées rencontrées dans les amas globulaires. Leur période est très courte, de l'ordre du jour.

- **Les variables périodiques à longue période, de type Mira Ceti** (une étoile de la constellation de la Baleine), sont des supergéantes rouges dont l'éclat varie régulièrement sur des mois ou des années.

- **Les étoiles de type *T Tauri*** sont des variables irrégulières dites éruptives – leur éclat augmente très fort en un temps très court. Trouvées en amas dans des nébuleuses, elles sont très jeunes.

- **Les variables à éclipses** sont en fait des étoiles binaires dont l'éclat semble varier, juste parce que l'une d'elle éclipse l'autre (*voir* Étoiles doubles).

- **Algol**, dans la constellation de Persée (en arabe « la Tête du Démon »), est l'étoile binaire à éclipses la mieux connue. La grosse étoile chaude est occultée quelques heures par une naine orange sur une période de 68,8 heures.

- **L'étoile variable χ (chi) Cygni** est visible à l'œil nu dans la constellation du Cygne quelques mois, puis devient si pâle qu'elle est indétectable même avec une lunette puissante.

▲ *La constellation du Cygne contient une variable repérable à l'œil nu.*

▲ *Cette image fantomatique obtenue par Chandra est celle d'un vaste nuage de gaz entourant l'Amas de Persée, situé à des millions d'années-lumière de la Terre.*

Les étoiles à neutrons

- **Une étoile à neutrons** est ce qu'il reste de l'explosion d'une étoile en supernova. Quand le noyau résiduel de l'étoile s'effondre, la matière est si comprimée que les électrons et protons fusionnent en neutrons (*voir* Atomes).

- **Le noyau résiduel laissé par l'explosion** doit avoir au moins 1,4 fois la masse du Soleil pour former une étoile à neutrons ; c'est la limite de Chandrasekhar.

- **Si le noyau résiduel fait plus de 2,5 fois** la masse du Soleil, il continue de s'effondrer et donne un trou noir ; c'est la limite d'Oppenheimer-Volkoff.

- **Le diamètre d'une étoile à neutrons** est de seulement 10 à 20 km pour une masse de 1,4 à 2,5 fois celle du Soleil – c'est une étoile incroyablement dense !

- **Une cuillère à café** d'étoile à neutrons pèse environ 10 milliards de tonnes.

- **Quand la matière se contracte**, le champ magnétique de l'étoile se contracte avec et s'intensifie. De même, la rotation de l'étoile s'accélère.

- **Le champ magnétique** d'une étoile à neutrons, des millions à des milliards de fois plus intense que celui de la Terre, arrache aux pôles magnétiques de l'étoile des atomes qui produisent d'intenses émissions radio (*voir* Magnétisme) – une étoile à neutrons est un pulsar.

- **La preuve de l'existence** des étoiles à neutrons est venue de la découverte du premier pulsar en 1967.

- **Certaines étoiles émettant des rayons X**, comme Hercule X-1, seraient des étoiles à neutrons. Les rayons X sont créés quand la matière arrachée à une étoile voisine par l'énorme gravité de l'étoile à neutrons est accélérée par son champ magnétique.

▲ *Une étoile à neutrons est une minuscule étoile très dense issue d'une supernova, après que le cœur de l'étoile initiale s'est effondré en quelques secondes sous sa propre gravité.*

L'Espace

▲ *La supernova 1987A (au centre), photographiée par le télescope spatial* Hubble.

Les pulsars

- **Un pulsar est une étoile à neutrons** dont nous recevons les émissions radio pulsées et régulières – une sorte de balise cosmique (*voir* Étoiles à neutrons).

- **Le premier pulsar** fut détecté en 1967 par deux astronomes britanniques, Anthony Hewish et Jocelyn Bell, qui étudiaient les sources radio célestes.

- **Plus de 650 pulsars** sont connus aujourd'hui, mais il doit y avoir une centaine de milliers de pulsars actifs dans notre galaxie.

- **La plupart des pulsars émettent** des impulsions radio une fois par seconde (l'étoile fait 1 tour sur elle-même par seconde). Les plus lents pulsent toutes les 4 secondes, les plus rapides, toutes les 1,6 milliseconde, soit 625 tours par seconde !

- **La fréquence de pulsations** d'un pulsar diminue lentement à mesure qu'il vieillit. Les pulsars les plus lents sont donc les plus âgés.

- **Le célèbre pulsar du Crabe** ralentit d'un millionième de seconde par an du fait de l'interaction magnétique avec la nébuleuse.

- **Un pulsar étant issu d'une supernova**, les plus jeunes pulsars sont encore au centre de la coquille de matière éjectée par l'étoile lors de l'explosion, comme le pulsar du Crabe.

- **D'après la fréquence des pulsars**, on déduit que l'étoile à neutrons ne fait guère plus de 10 km de diamètre.

- **Les jeunes pulsars** se rencontrent plutôt dans le plan de la Galaxie où survient le plus de supernovae. Les plus âgés ont eu le temps de se disséminer dans l'espace et se rencontrent partout.

▶ *La nébuleuse du Crabe, dans la constellation du Taureau, renferme un pulsar (NP0532) – le plus jeune jamais découvert car sa période de rotation n'est que de 0,0331 seconde. Il s'est probablement formé avec la supernova apparue en 1054.*

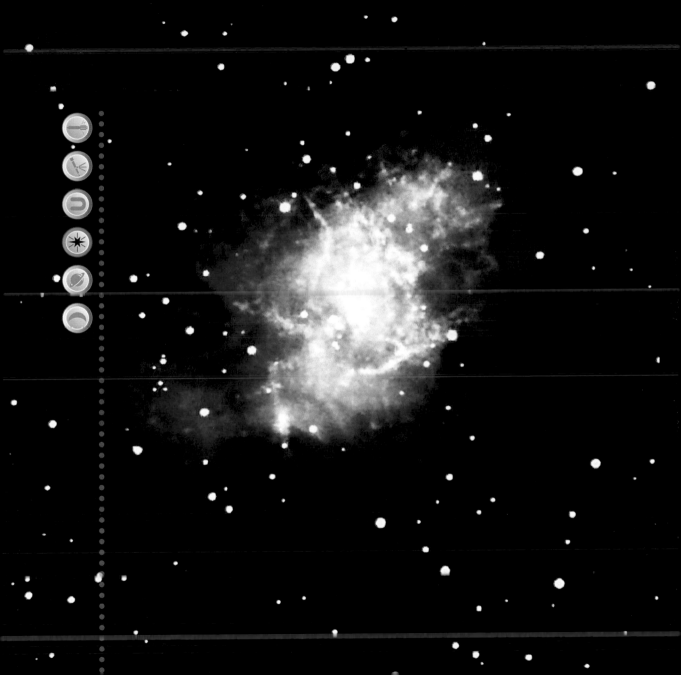

Les étoiles doubles

- **Deux étoiles vues côte à côte** sont appelées des étoiles doubles. Il en existe de plusieurs types.

- **Un double visuel (ou optique)** est formé par deux étoiles distantes sans aucun lien physique, mais que leur observation depuis la Terre rapproche par le hasard de la perspective.

- **Un double physique, ou système binaire,** est formé de deux étoiles proches liées par leurs gravités mutuelles et tournant l'une autour de l'autre.

- **Une binaire à éclipses** est un système binaire où les étoiles s'éclipsent mutuellement en passant l'une devant l'autre par rapport à la Terre.

- **Les étoiles d'une binaire spectro-scopique** sont trop près l'une de l'autre et trop éloignées de nous pour les séparer ; on s'aperçoit qu'elles sont deux en analysant leur lumière (leur spectre).

- **Notre Soleil est solitaire,** mais la plupart des étoiles naissent avec au moins un compagnon stellaire.

- **La moitié des étoiles** environ sont des systèmes binaires.

▼ *Système binaire d'étoiles de taille comparable. Les étoiles peuvent être très proches ou distantes de millions de kilomètres.*

▼ *Système binaire dont une étoile est beaucoup plus grosse.*

▲ *Les étoiles d'un système binaire tournent autour de leur centre de gravité commun (en rouge).*

- **L'étoile ε dans la constellation de la Lyre,** appelée le Double double, est composée de deux systèmes binaires. Ils sont séparables à l'œil nu, seule une lunette de 60 mm permet de distinguer les quatre étoiles.

- **Mizar et Alcor, dans la Grande Ourse,** forment un double visuel séparable à l'œil nu. Mizar est elle-même un système binaire.

- **Albiréo** dans le Cygne est un autre double visuel séparable à l'œil nu – une étoile est jaune, l'autre bleue.

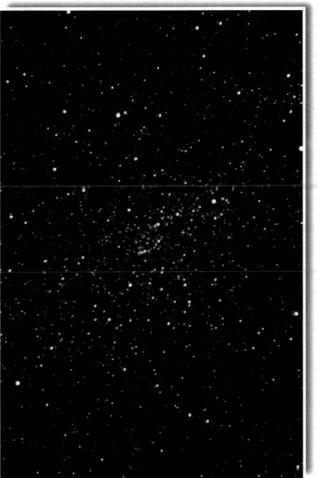

▲ *La constellation du Cygne, au centre de l'image, abrite l'une des plus belles étoiles doubles visibles à l'œil nu, β Cygni ou Albiréo (en arabe, « le Biseau »). C'est un double visuel – les étoiles sont rapprochées uniquement par la perspective*

La luminosité des étoiles

- **La luminosité apparente des étoiles** (ou éclat) est estimée sur une échelle quantitative, l'échelle des magnitudes, mise au point vers 150 av. J.-C. par l'astronome grec Hipparque.

- **L'étoile la plus brillante** pour Hipparque était Antarès, dont il fixa la magnitude à 1 ; il attribua la magnitude 6 à l'étoile la plus pâle.

- **Avec leurs télescopes**, les astronomes peuvent voir des étoiles bien plus pâles.

- **Une bonne paire de jumelles** permet de distinguer des étoiles de magnitude 9, et une petite lunette familiale montre des étoiles de magnitude 10.

- **Les étoiles plus brillantes** qu'Antarès ont une magnitude inférieure à 1, voire négative : la magnitude de Sirius est de - 1,44, et celle du Soleil de - 26,7 (voir table p. 175).

- **L'étoile la plus brillante** depuis la Terre est Sirius dans la constellation du Grand Chien.

- **Cette échelle relative** décrit seulement la luminosité qu'une étoile semble avoir depuis la Terre par rapport à d'autres étoiles – sa magnitude apparente.

- **Plus une étoile est lointaine,** plus elle semble pâle et petite,

▲ *Vous pouvez estimer la magnitude apparente d'une étoile en comparant son éclat à celui de deux étoiles dont vous connaissez la magnitude. L'une un peu plus lumineuse, l'autre, un peu moins.*

et donc plus sa magnitude apparente est faible – quelle que soit sa véritable luminosité.

- **La magnitude absolue** d'une étoile indique sa véritable luminosité, c'est-à-dire l'énergie qu'elle émet. Cela nécessite de connaître sa distance.

- **L'étoile Deneb** est 60 000 fois plus lumineuse que le Soleil mais, étant située à 1 800 années-lumière, elle semble plus pâle que Sirius.

▲ *Une simple lunette de 60 mm révèle des étoiles de 10ᵉ magnitude.*

Le diagramme H-R

- **Le diagramme de Hertzsprung-Russell** (H-R) classe les étoiles en fonction de leur température de surface et de leur luminosité. La physique stellaire fait que les étoiles se concentrent en certains endroits du diagramme.

- **La température de surface** d'une étoile lui donne sa couleur. Notre Soleil, dont la chromosphère est à 6 000 degrés, est jaune.

- **Les étoiles froides** sont orange à rouges, les étoiles chaudes sont blanches à bleues.

- **Les étoiles de taille moyenne**, ou naines, se situent sur une diagonale du diagramme H-R, la séquence principale.

- **Plus une étoile est chaude**, plus elle est lumineuse. Les étoiles blanches à bleues de la séquence principale sont habituellement grosses et jeunes.

- **Plus une étoile est froide**, moins elle est lumineuse. Dans la séquence principale, les étoiles rouges tendent à être petites et âgées.

- **Géantes rouges et naines blanches** sortent de la séquence principale.

- **Une étoile de taille moyenne** comme le Soleil « passe » l'essentiel de sa vie dans la séquence principale qu'elle quitte au stade géante rouge.

- **Le diagramme H-R relie** la couleur d'une étoile et sa luminosité. En comparant la luminosité d'une étoile prédite par le diagramme H-R avec son éclat observé, les astronomes déduisent à quelle distance elle se trouve (*voir* Distances).

- **Le diagramme H-R fut établi** indépendamment par Ejnar Hertzsprung en 1911 et Henry Russell en 1913.

▶ *Le diagramme H-R montre la température de surface et la luminosité vraie des différents types d'étoiles. On l'utilise pour estimer la distance d'une étoile à partir de sa luminosité apparente.*

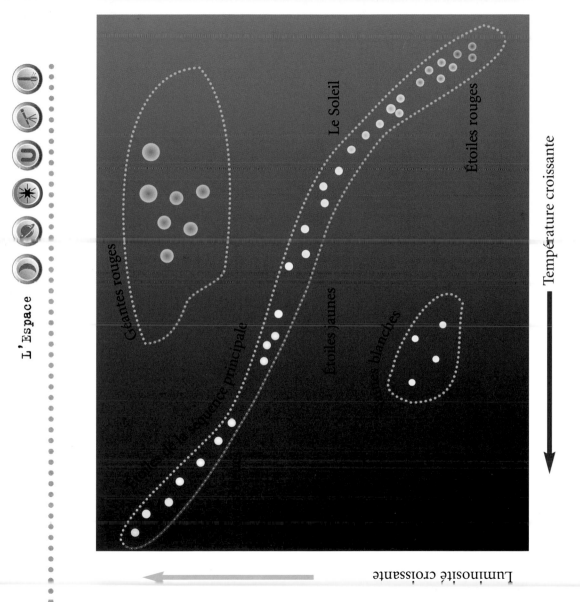

Géantes rouges

Étoiles de la séquence principale

Le Soleil

Étoiles jaunes

Naines blanches

Étoiles rouges

Température croissante

Luminosité croissante

Le décalage vers le rouge

- **Quand une ambulance s'approche** de nous, le bruit de sa sirène semble d'abord suraigu, puis normal à notre hauteur, puis plus grave quand la voiture s'éloigne. C'est l'effet Doppler-Fizeau.

- **Le même effet s'observe pour la lumière** : la fréquence du rayonnement émis par un objet qui s'approche de nous est plus courte, celle d'un objet qui s'éloigne, plus longue.

- **L'effet Doppler-Fizeau** a été découvert parallèlement par le mathématicien tchèque Christian Doppler et par le physicien français Armand Fizeau dans les années 1840.

- **Le décalage vers le rouge** est proportionnel à la vitesse de l'objet qui émet le rayonnement.

- **Quand une galaxie s'éloigne** de nous, la lumière qu'elle émet voit sa fréquence augmenter : ses émissions lumineuses se décalent vers le rouge.

- **Edwin Hubble a montré** que toutes les galaxies s'éloignent de nous et que leur décalage vers le rouge était d'autant plus grand que les galaxies étaient lointaines – c'est la loi de Hubble.

- **L'expansion de l'Univers** est une conséquence directe de la loi de Hubble.

- **Le décalage vers le rouge record** est de 4,25. Il est détenu par le quasar 8C1435+63 qui « fuit » à près de 96 % de la vitesse de la lumière !

- **Le décalage de la lumière** peut aussi se faire vers le bleu – par exemple, quand une galaxie éjecte un jet de matière dans notre direction.

- **Le décalage vers le rouge ou vers le bleu** d'un objet lumineux permet d'estimer sa vitesse ou sa dynamique – le sens de rotation d'une étoile, la vitesse des atomes au sein d'un nuage de gaz ou les mouvements de matière autour d'un trou noir.

▶ *Le décalage vers le rouge des galaxies vient de ce qu'elles s'éloignent de nous. Plus la galaxie est distante, plus il est grand.*

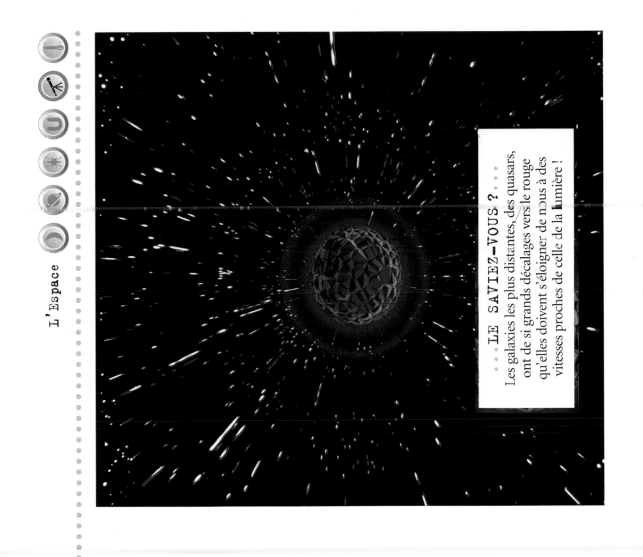

LE SAVIEZ—VOUS ?

Les galaxies les plus distantes, des quasars, ont de si grands décalages vers le rouge qu'elles doivent s'éloigner de nous à des vitesses proches de celle de la Lumière !

La sphère céleste

- **Les étoiles semblent se déplacer** sur le fond du ciel nocturne comme si elles étaient peintes à l'intérieur d'une sphère géante tournant lentement. Cet écran imaginaire est la sphère céleste.

- **La projection du pôle Nord** terrestre sur la sphère céleste est appelée le pôle Nord céleste.

- **La projection du pôle Sud** terrestre sur la sphère céleste est appelée le pôle Sud céleste.

- **La sphère céleste tourne** autour de l'axe passant par ses deux pôles – le même que l'axe de rotation terrestre.

- **L'équateur céleste** sépare en deux la sphère céleste. Projection de l'équateur terrestre, il est dans le même plan que lui.

- **Les étoiles sont repérées** sur la sphère céleste par leur déclinaison et leur ascension droite.

- **La déclinaison** est analogue à la latitude. Elle est mesurée en degrés et donne la position de l'étoile entre le pôle et l'équateur célestes.

- **L'ascension droite** est analogue à la longitude. Elle est mesurée en heures, minutes et secondes d'arc et donne la distance de l'étoile par rapport à un point de référence, le point gamma dans le Bélier.

- **l'Étoile polaire** (ou Polaris) est située très près du pôle Nord céleste. La Voie lactée et les 12 constellations zodiacales se trouvent sur une bande inclinée par rapport à l'équateur céleste, le zodiaque.

- **Le zénith** est le point sur la sphère situé directement au-dessus de votre tête quand vous regarder le ciel nocturne.

▶ *La sphère céleste est comme une grande boule bleue piquetée d'étoiles, avec la Terre au centre. Elle est imaginaire mais facilite la localisation des étoiles et des constellations. Le zodiaque est détaillé dans le médaillon en bas (voir Zodiaque).*

L'Espace

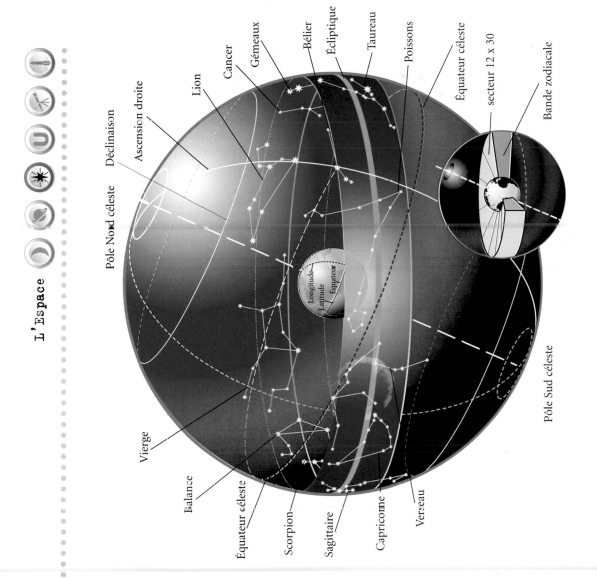

Pôle Nord céleste

Déclinaison

Ascension droite

Lion

Cancer

Gémeaux

Bélier

Écliptique

Taureau

Poissons

Équateur céleste

secteur 12 x 30

Bande zodiacale

Longitude
Latitude
Équateur

Vierge

Balance

Équateur céleste

Scorpion

Sagittaire

Capricorne

Verseau

Pôle Sud céleste

Les astéroïdes

- **Les astéroïdes** sont des corps rocheux en orbite autour du Soleil. Les plus gros sont appelés planétoïdes.

- **Environ 40 000 astéroïdes** font plus de 1 km de diamètre. Plus de 200 astéroïdes font plus de 100 km de large.

- **La plupart des astéroïdes** orbitent dans deux zones : la ceinture principale, située entre Mars et Jupiter, et la ceinture de Kuiper, située au-delà de Neptune.

- **Les astéroïdes troyens** sont sur la même orbite que Jupiter. Les plus gros portent le nom de personnages de la guerre de Troie.

- **Les autres astéroïdes**, petits et aux orbites irrégulières, sont souvent trouvés près du Soleil.

- **Quelques astéroïdes s'approchent** de la Terre. Ces géocroiseurs sont très surveillés.

- **Le premier astéroïde** fut découvert en 1801 par Giuseppe Piazzi qui recherchait la planète « manquante » entre Mars et Jupiter ; Cérès mesure 934 km de diamètre.

- **Le plus gros astéroïde connu**, découvert en 2001 dans la ceinture de Kuiper, fait environ 1 200 km de diamètre. Il se nomme Ixion (2001KX76).

- **La sonde spatiale *Galileo*** a pris les premières images rapprochées d'astéroïdes (Ida et Gaspra, en 1991 et 1993). Depuis, plusieurs autres astéroïdes ont été observés de très près par des sondes telles que *NEAR* et *Deep Space 1*.

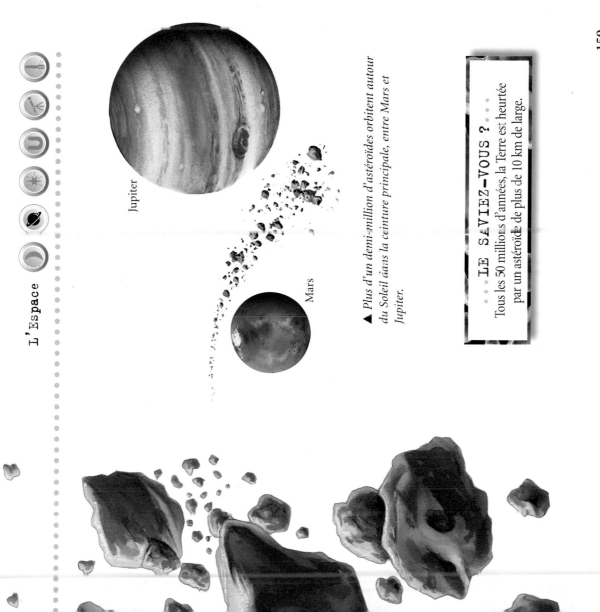

Jupiter

Mars

▲ Plus d'un demi-million d'astéroïdes orbitent autour du Soleil dans la ceinture principale, entre Mars et Jupiter.

···· LE SAVIEZ-VOUS ? ····
Tous les 50 millions d'années, la Terre est heurtée par un astéroïde de plus de 10 km de large.

Les météores

- **Les météores, ou étoiles filantes**, sont les traces lumineuses des corps célestes qui brûlent en pénétrant dans l'atmosphère terrestre.

- **La plupart de ces corps célestes** ou **météorites** sont très petits et brûlent entièrement dans l'atmosphère.

- **Les micrométéorites** sont des poussières rocheuses qui errent dans le Système solaire, en majorité microscopiques (les plus grosses ont la taille d'un petit pois). Il en tombe des centaines de tonnes sur Terre par jour.

- **Une pluie de météores** est l'apparition de centaines d'étoiles filantes à la minute. Elle survient quand la Terre croise l'orbite d'une comète récente ou qu'un astéroïde se désintègre dans l'atmosphère. Une pluie spectaculaire a eu lieu en 1833 aux États-Unis.

- **Les essaims d'étoiles filantes** apparaissent à certaines périodes de l'année, quand la Terre croise les orbites d'anciennes comètes.

- **Les essaims sont nommés** d'après les constellations d'où ils semblent provenir.

- **Les essaims les plus denses** sont les Perséides (le 12 août), les Géminides (13-14 décembre) et les Quadrantides (3-4 janvier).

- **Certaines météorites** sont assez grosses pour traverser l'atmosphère terrestre et atteindre le sol.

- **Il tombe plus de 100 000 tonnes** de météorites sur Terre par an, dont plusieurs de 10 à 50 mètres de diamètre.

▲ *Les essaims d'étoiles filantes représentent des douzaines de météores par heure semblant provenir d'un même secteur du ciel.*

▼ Le Meteor Crater en Arizona est l'un des rares cratères météoritiques visibles sur Terre, mais de tels cratères constellent la surface de la Lune, de Mercure et de nombreux autres corps du Système solaire.

. . . LE SAVIEZ-VOUS ? . . . .

L'impact d'une grosse météorite sur Terre aurait déclenché une glaciation et décimé les dinosaures.

Les comètes

- **Une comète est un objet lumineux** qui traverse lentement le ciel sur plusieurs nuits, doté d'une tête éclatante et d'une longue queue floue.

- **Aussi spectaculaire qu'elle soit,** ce n'est qu'une boule de glace « sale » de quelques kilomètres de diamètre.

- **De nombreuses comètes orbitent autour du Soleil.** Leur orbite étant très allongée, elles passent la majorité de leur temps aux confins du Système solaire. Nous les voyons quand elles s'approchent du Soleil.

- **La queue** se forme quand la comète s'approche du Soleil et commence à se vaporiser : une vaste traînée de gaz très lumineuse, de centaines de millions de kilomètres de long, est étirée par le vent solaire. Il existe une seconde queue de poussières, peu visible.

- **Les comètes dites périodiques** reviennent à intervalles réguliers.

- **Certaines comètes atteignent une vitesse** de 2 millions de km/h près du Soleil.

- **Loin du Soleil les comètes ralentissent à** environ 1 000 km/h – c'est pourquoi elles restent si longtemps absentes.

- **La comète Hale-Bopp,** apparue en 1997, est l'une des plus brillantes depuis 1811, visible même depuis les villes brillamment éclairées.

- **La comète Shoemaker-Levy 9** s'est écrasée sur Jupiter en juillet 1994 – c'est le plus gros impact cométaire jamais observé.

- **La comète la plus connue** est la comète de Halley.

▲ *La queue gazeuse d'une comète pointe toujours à l'opposé du Soleil.*

▶ *La comète Kohoutek zèbre le ciel nocturne.*

La comète de Halley

- **La comète de Halley** tient son nom du savant britannique Edmond Halley (1656-1742) qui l'étudia lors de son passage en 1682.

- **Halley calcula** que cette comète reviendrait en 1758, 16 ans après son décès. C'est la première fois que le retour d'une comète était prédit.

- **La comète de Halley met 76 ans** à accomplir son orbite autour du Soleil.

- **Son orbite** passe au plus près entre Mercure et Vénus et s'étend au-delà de Neptune.

- **Le dernier passage** de la comète de Halley date de 1986, le prochain sera en 2062.

- **Les Chinois** avaient déjà décrit la comète de Halley en 240 av. J.-C.

- **Lors de son passage en 837**, les astronomes chinois rapportèrent que sa tête était aussi brillante que Vénus et que sa queue s'étirait à travers tout le ciel.

- **Harold, roi d'Angleterre,** vit la comète en 1066. Quand il fut vaincu par Guillaume le Conquérant quelques mois plus tard, les gens prirent la visite de la comète comme un mauvais présage.

- **Cet épisode historique** fut brodé sur la célèbre tapisserie de Bayeux où figure le passage de la comète.

▲ *La section de la tapisserie de Bayeux où est brodée la comète de Halley (en haut, à droite du centre).*

▲ *La tête très lumineuse et les jets de gaz de la queue de la comète de Halley.*

LE SAVIEZ-VOUS ?
La comète de Halley a été vue vers l'an 8 av. J.-C. – ce pourrait être l'Étoile de la Nativité (ou de Bethléem) de la Bible.

Les quasars

- **Les quasars** sont les sources lumineuses les plus intenses de l'Univers. Bien qu'ils ne soient pas plus étendus que le Système solaire, ils brillent avec l'éclat de 100 à 1 000 galaxies.

- **Le quasar le plus lointain** est situé aux frontières de l'Univers connu, à 12 milliards d'années-lumière de nous.

- **Certains quasars sont si éloignés** que nous les voyons tels qu'ils étaient alors que l'Univers était encore très jeunes (7 % de son âge actuel).

- **Quasar est la contraction** de *quasi-stellar radio object* (objet radio quasi stellaire). En effet, les premiers quasars ont été détectés par leurs signaux radio intenses, et si leur extraordinaire luminosité les désignait comme des galaxies, leur petite taille les faisait ressembler à des étoiles.

- **Les radioquasars** sont en fait beaucoup moins nombreux que les quasars n'émettant aucun signal radio, mais ce sont les plus énergétiques.

- **Le radioquasar le plus brillant** est 3C273, situé à 2 milliards d'années-lumière.

- **Les quasars sont en fait les noyaux** de certains types de galaxies, les galaxies actives.

- **Les quasars tireraient leur énergie** d'un trou noir en leur centre attirant violemment la matière.

- **Le trou noir** au centre d'un quasar aurait une masse équivalente de 100 millions à 100 milliards de soleils.

▲ *Le télescope spatial Hubble a fourni les meilleures photographies de quasars. Celle-ci montre le quasar PKS2349, situé à des milliards d'années-lumière.*

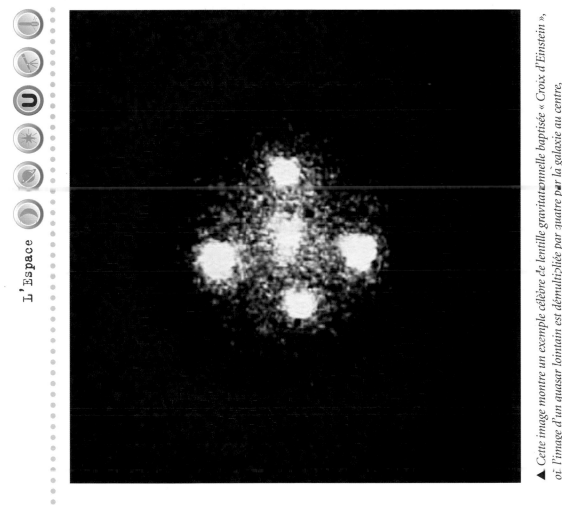

▲ *Cette image montre un exemple célèbre de lentille gravitationnelle baptisée « Croix d'Einstein », où l'image d'un quasar lointain est démultipliée par quatre par la galaxie au centre, plus proche de nous.*

Les aurores magnétiques

- **Les aurores magnétiques** ou polaires sont d'immenses voiles de lumière chatoyante apparaissant la nuit au-dessus des pôles de la Terre.

- **Les aurores boréales** apparaissent au-dessus du pôle Nord, les aurores australes, au-dessus du pôle Sud.

- **La lumière des aurores magnétiques** est due à l'excitation ou à l'ionisation des molécules de gaz de l'atmosphère terrestre par le flot de particules chargées provenant du Soleil, le vent solaire (*voir* Éruptions solaires).

- **Ces particules chargées** pénètrent dans l'atmosphère en suivant les lignes de champ magnétique qui ne se recourbent vers le sol qu'aux Pôles.

- **Si une particule solaire frappe** une molécule de gaz, elle lui communique de l'énergie (elle l'excite) ; la lumière est émise quand la molécule revient à son état normal. Si elle passe très près, elle l'ionise (elle lui arrache un ou des électrons).

- **Excité, l'oxygène** émet une intense lumière verte à basse altitude, et rouge vif à haute altitude. L'azote émet une lumière bleu-vert quand il est excité à basse altitude, et violette quand il s'ionise au-dessus de 200 km.

- **Les aurores magnétiques forment un halo** lumineux permanent au-dessus des pôles, habituellement trop pâle pour être vu. Elles ne flamboient que lorsque le flux du vent solaire connaît un pic.

- **Les aurores magnétiques sont plus spectaculaires** quand le Soleil est très actif (lors des maxima solaires).

- **Toutes les planètes** possédant un champ magnétique dipolaire comme la Terre ont des aurores magnétiques, telles Jupiter et Saturne.

▶ *Une aurore boréale au-dessus du Cercle arctique est l'un des plus beaux spectacles de la nature. Des draperies dansantes aux tons électriques — vert, rouge ou bleu violacé – éclatent soudain dans l'obscurité de la nuit polaire.*

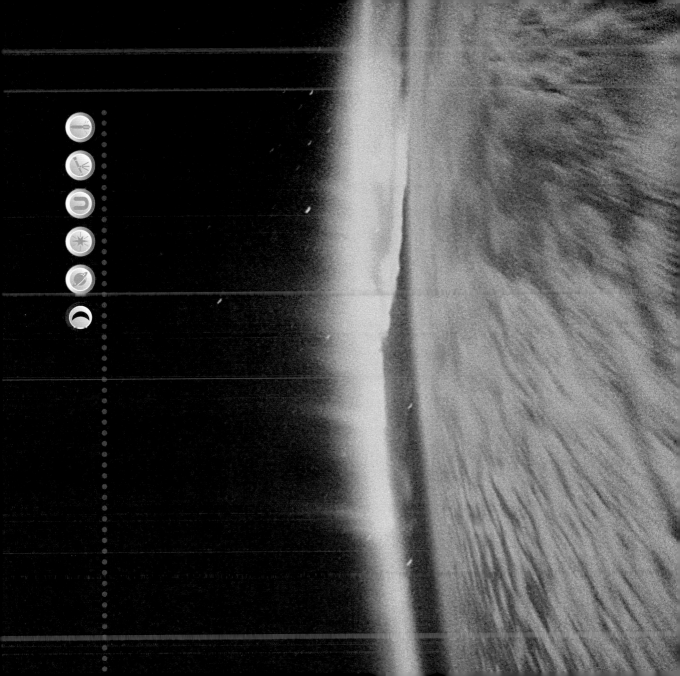

L'année

- Une **année du calendrier**, ou année calendaire, est, grosso modo le temps que met la Terre à faire le tour du Soleil, soit 365 jours.

- **En réalité, la Terre** met 365,24219 jours à accomplir une orbite complète – c'est l'année solaire.

- **Pour compenser les 0,242 jours manquants**, le calendrier occidental ajoute tous les 4 ans un jour de plus au mois de février (année bissextile) mais « oublie » trois années bissextiles en quatre siècles (années dites séculaires) ; ainsi les années 1700, 1800 et 1900 n'ont pas été bissextiles mais 2000, si.

- **Par rapport à d'autres étoiles** que le Soleil, la Terre met 365,25636 jours à faire le tour du Soleil car celui-ci se déplace lui-même un peu par rapport aux étoiles – c'est l'année sidérale.

- **Le périhélie** de la Terre est le point de l'orbite où celle-ci est le plus près du Soleil, ce qui survient le 3 janvier.

- **L'aphélie** de la Terre est le point où celle-ci est le plus loin du Soleil, ce qui survient le 4 juillet.

- **Pour déterminer** qu'une année s'est écoulée, nous devons attendre que le Soleil se retrouve à la même hauteur dans le ciel à midi.

- **La planète du Système solaire ayant la plus courte année** est Mercure, qui fait le tour du Soleil en environ 88 jours.

- **La planète du Système solaire ayant la plus longue année** est Pluton, qui accomplit une orbite en 249 ans.

- **Vénus** est la planète dont l'année est la plus proche de la Terre (environ 225 jours).

▶ *L'année représente le temps que met la Terre à accomplir une orbite autour du Soleil, de sorte que celui-ci réapparaît à la même hauteur dans le ciel. Mais ce voyage ne dure pas un nombre entier de jours, c'est pourquoi le calendrier compte 3 années de 365 jours puis compense par une année de 366 jours (année bissextile).*

Les distances

- **La distance de la Terre à la Lune** est mesurée par un faisceau laser.

- **La distance de la Terre aux planètes du Système solaire** est mesurée par des radars qui envoient un signal et mesurent le temps que celui-ci met à nous revenir.

- **La distance des étoiles proches** (moins de 100 années-lumière) est calculée par la méthode de la parallaxe : on mesure la position de l'étoile par rapport à une étoile lointaine (fixe), puis de nouveau 6 mois plus tard quand la Terre s'est déplacée sur son orbite ; le décalage observé, un angle, est relié à la distance de l'étoile à la Terre.

- **La méthode de la parallaxe** ne fonctionne que pour les étoiles proches (moins de 100 années-lumière). Pour les étoiles lointaines et les galaxies, les astronomes comparent leur éclat ou magnitude apparente avec leur luminosité réelle ou magnitude absolue (*voir* Luminosité) déduite par diverses méthodes.

- **Pour les étoiles situées à moyenne distance,** les astronomes comparent leur éclat à leur luminosité réelle déduite de leur couleur grâce au diagramme de Hertzsprung-Russell (ajustement par la méthode de la séquence principale).

▲ *Estimer la distance des étoiles est un des problèmes majeurs de l'astronomie.*

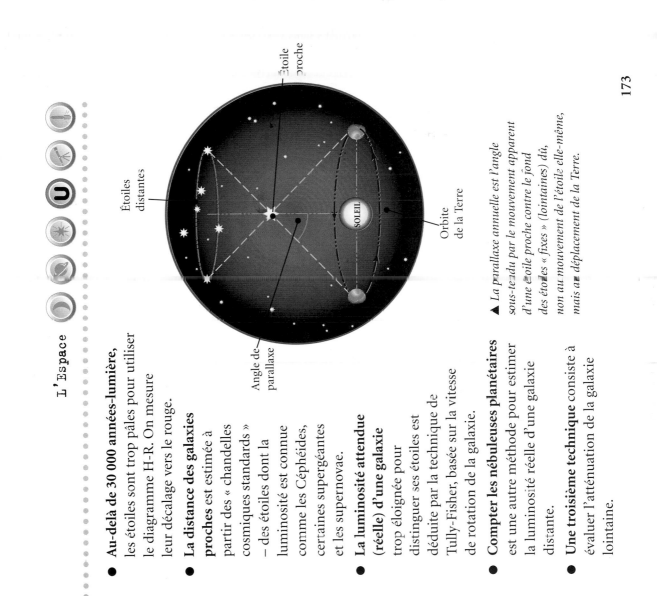

Étoile proche

Étoiles distantes

SOLEIL

Orbite de la Terre

Angle de parallaxe

▲ *La parallaxe annuelle est l'angle sous-tendu par le mouvement apparent d'une étoile proche contre le fond des étoiles « fixes » (lointaines) dû, non au mouvement de l'étoile elle-même, mais au déplacement de la Terre.*

- **Au-delà de 30 000 années-lumière,** les étoiles sont trop pâles pour utiliser le diagramme H-R. On mesure leur décalage vers le rouge.

- **La distance des galaxies proches** est estimée à partir des « chandelles cosmiques standards » – des étoiles dont la luminosité est connue comme les Céphéides, certaines supergéantes et les supernovae.

- **La luminosité attendue (réelle) d'une galaxie** trop éloignée pour distinguer ses étoiles est déduite par la technique de Tully-Fisher, basée sur la vitesse de rotation de la galaxie.

- **Compter les nébuleuses planétaires** est une autre méthode pour estimer la luminosité réelle d'une galaxie distante.

- **Une troisième technique** consiste à évaluer l'atténuation de la galaxie lointaine.

L'année-lumière

- **Les distances dans l'espace** sont si vastes qu'on les mesure en les comparant à la chose la plus rapide de l'Univers : la lumière.

- **La vitesse de la lumière** est de 299 792 km par seconde.

- **Une seconde-lumière** est la distance que parcourt la lumière en une seconde, soit 299,8 millions de mètres.

- **Une année-lumière** est la distance que parcourt la lumière en une année, soit 9 461 milliards de km. C'est une des unités de distance en astronomie avec l'unité astronomique (la distance Terre-Soleil, soit 149,6 millions de km) et le parsec.

- **La lumière met 8 minutes** à venir du Soleil à la Terre.

- **La lumière met 5,46 ans** à atteindre l'étoile la plus proche du Soleil, Proxima Centauri ; on dit que l'étoile est à 5,46 années-lumière.

- **Nous voyons en fait Proxima Centauri** telle qu'elle était 5,46 années auparavant parce que sa lumière a mis ce temps pour nous atteindre.

- **Avec les plus puissants télescopes,** les astronomes distinguent des galaxies à 2 milliards d'années-lumière. On les observe donc telles qu'elles étaient quand les seules formes de vie sur Terre étaient des bactéries.

- **Le parsec** est la distance d'une étoile dont la parallaxe est d'une seconde. Une année-lumière vaut 0,3066 parsec.

▲ *Dans l'espace, les distances sont si grandes qu'elles sont mesurées en années-lumière, la distance que parcourt la lumière en un an.*

Étoiles les plus brillantes du ciel

Nom	Étoile dans la constellation	Magnitude apparente	Distance (en années-lumière)
Alpha Canis Majoris	Sirius	−1,44	9
Alpha Carinae	Canopus	−0,52	310
Alpha Centauri	Rigil Kentaurus	−0,7	4
Alpha Bootis	Arcturus	−0,05	37
Alpha Lyrae	Vega	0,03	25
Alpha Aurigae	Capella	0,08	42
Beta Orionis	Rigel	0,18	770
Alpha Canis Minoris	Procyon	0,40	11
Alpha Eridani	Achernar	0,45	144
Alpha Orionis	Bételgeuse	0,45	430
Beta Centauri	Hadar	0,61	530
Alpha Aquilae	Altaïr	0,76	17
Alpha Crucis	Acrux	0,77	320
Alpha Tauri	Aldébaran	0,87	65
Alpha Virginis	Spica	0,98	260
Alpha Scorpii	Antarès	1,06	600
Beta Geminorum	Pollux	1,16	34
Alpha Piscis Austrini	Fomalhaut	1,17	25
Beta Crucis	Mimosa	1,25	350
Alpha Cygni	Deneb	1,25	3 000
Alpha Leonis	Regulus	1,36	78
Epsilon Canis Majoris	Adhara	1,50	430
Alpha Geminorum	Castor	1,58	52
Gamma Crucis	Gacrux	1,59	88
Lambda Scorpii	Shaula	1,62	700
Gamma Orionis	Bellatrix	1,64	240

Note : toutes ces étoiles ne sont pas visibles depuis l'hémisphère Nord.

Einstein

- **Le grand scientifique** Albert Einstein (1879-1955) est célèbre pour ses deux théories de la relativité.

- **La relativité restreinte** (1905) démontra que toute mesure est relative : les valeurs du temps et de la vitesse dépendent de l'endroit où vous les mesurez – de votre « référentiel » – et de la vitesse de ce dernier.

- **La lumière** a la même vitesse partout, toujours, quels que soient votre lieu et votre vitesse. Rien ne peut excéder sa vitesse, la constante c.

- **Plus un objet va vite,** plus sa longueur semble diminuer, sa masse augmenter, et son temps ralentir – il ne « vieillit » pas autant que l'objet resté au repos.

- **La théorie de la relativité générale** (1915) généralisa le concept de la gravité et décrivit son action (*voir* Gravité).

- **Einstein** montra que l'attraction de la gravité est équivalente à une accélération : la Terre accélère les objets de 9,81 m/s.

- **Quand un objet tombe** dans un champ de gravité, l'accélération qui lui est communiquée annule son poids – on ne pèse plus « rien » en chute libre !

- **La gravité agit en déformant** l'espace et le temps : « La matière dit à l'espace comment se courber ; l'espace dit à la matière comment se déplacer. »

- **La matière creuse l'espace** et étire le temps, d'autant plus que sa masse est grande. Un corps hypermassif « troue » l'espace-temps (*voir* Trou noir).

- **La lumière elle-même doit suivre** la déformation de l'espace-temps : elle est déviée par la présence d'un objet massif (étoile ou galaxie) sur son trajet.

▲▶ *La théorie de la relativité générale fut prouvée en 1919 lors d'une éclipse totale du Soleil : les rayons lumineux d'une étoile située au bord du disque solaire apparurent déviés de 1,75 seconde d'arc.*

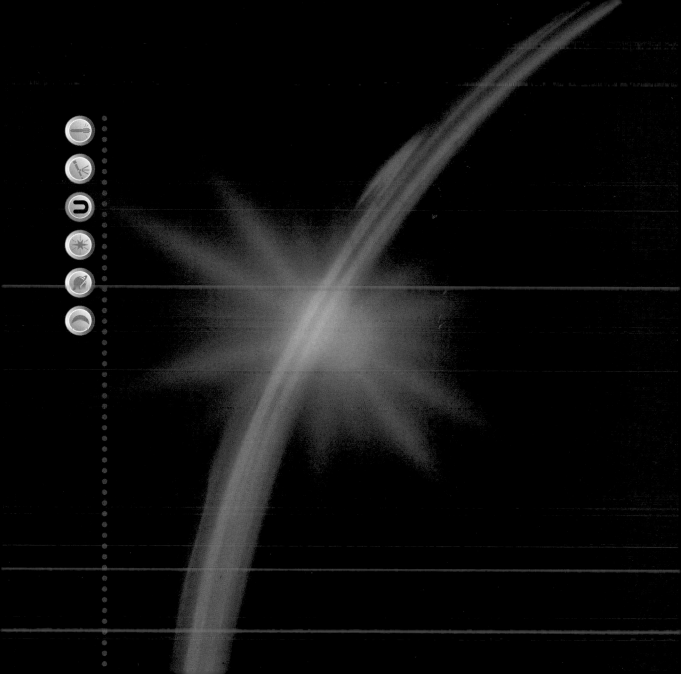

Les atomes

- **Les atomes** sont les blocs ou unités de construction de la matière.

- **Les atomes sont si petits** (quelques 100 milliardièmes de mètre) qu'il en tient des milliards dans le point à la fin de cette phrase.

- **Les atomes sont** les constituants des éléments chimiques (*voir* Éléments).

- **Il y a autant** d'atomes différents que d'éléments.

- **Un atome est constitué** principalement d'espace « vide » où s'organisent de minuscules particules subatomiques (subatomique signifie « plus petit que l'atome »).

- **Le centre d'un atome** est occupé par le noyau, un agrégat de deux sortes de particules subatomiques, les protons et les neutrons.

- **Dans les atomes les plus légers**, il y a autant de neutrons que de protons. Plus un atome est gros (massif), plus ses neutrons sont nombreux, mais plus il est fragile.

- **Le noyau est entouré** d'un nuage d'électrons – des particules fondamentales, encore plus petites. Dans l'atome normal, ils sont en même nombre que les protons.

- **Les électrons ont une charge électrique** négative, et les protons, une charge positive qui retient les électrons par attraction électrique. Les neutrons sont électriquement neutres, comme l'atome normal.

- **Protons et neutrons sont formés de quarks,** les constituants ultimes de la matière. Lorsqu'on provoque la collision très brutale de noyaux, leurs quarks se recombinent et donnent naissance à toutes sortes de particules à la vie très courte.

▶ *Ce schéma ne peut montrer le nuage effervescent d'énergie qu'est un véritable atome ! Les électrons tournoient autour du noyau composé de protons et de neutrons. Leur énergie prend des valeurs bien précises, définies par la mécanique quantique qui régit le monde des particules.*

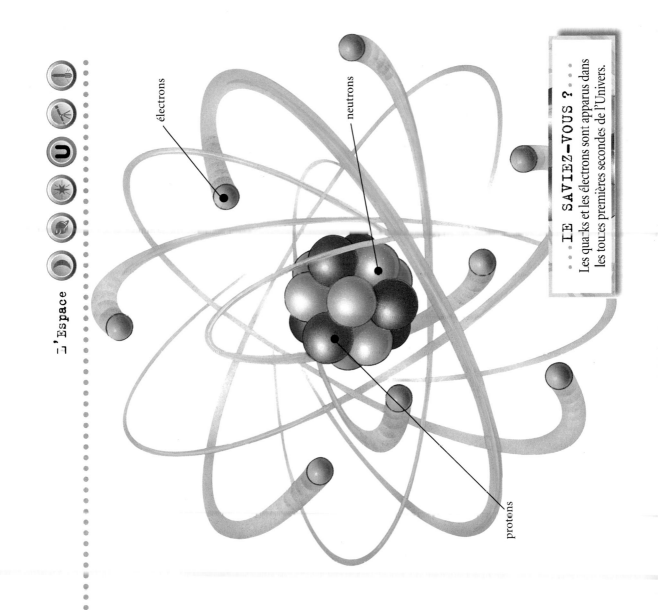

électrons

neutrons

protons

LE SAVIEZ-VOUS ?
Les quarks et les électrons sont apparus dans les toutes premières secondes de l'Univers.

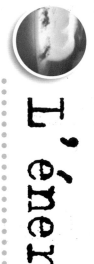

L'énergie nucléaire

- L'énergie nucléaire est l'énergie associée à la force incroyable qui lie ensembles les protons et neutrons dans le noyau de chaque atome.

- L'énergie nucléaire est libérée par fission ou par fusion.

- Dans la fusion, l'énergie nucléaire est libérée quand deux noyaux atomiques se fondent en un nouveau, plus lourd. Cela survient au cœur des étoiles où la gravité rapproche les noyaux, et dans les bombes H.

- Habituellement seuls les petits noyaux (hydrogène, hélium) fusionnent. C'est dans des conditions extrêmes de pression et de température trouvées dans les géantes qui s'effondrent que des noyaux comme le fer fusionnent.

- Dans la fission nucléaire, l'énergie de cohésion du noyau est libérée en cassant celui-ci. Cette méthode est utilisée dans les centrales nucléaires et les bombes atomiques (bombes A).

- Seuls de gros noyaux comme l'uranium et le plutonium sont utilisés dans la fission (voir Atomes).

- Quand un noyau se casse, il émet des rayons gamma, des neutrons et une chaleur intense.

- Dans une bombe, l'énergie est libérée en l'espace d'une seconde.

- Dans une centrale nucléaire, des barres de contrôle ralentissent la chaîne des réactions nucléaires afin que l'énergie soit libérée progressivement.

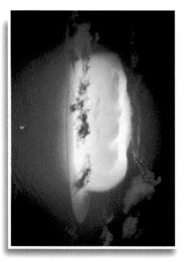

▶ Les armes nucléaires tirent leur puissance de la transformation de la matière en énergie. Seules deux bombes nucléaires ont été jusqu'à présent utilisées, durant la Seconde Guerre mondiale. La première a été lâchée au-dessus de la ville japonaise de Hiroshima, tuant de 70 000 à 100 000 personnes et détruisant 13 km² de la ville. Les armes nucléaires actuelles sont 40 fois plus puissantes que la bombe de Hiroshima.

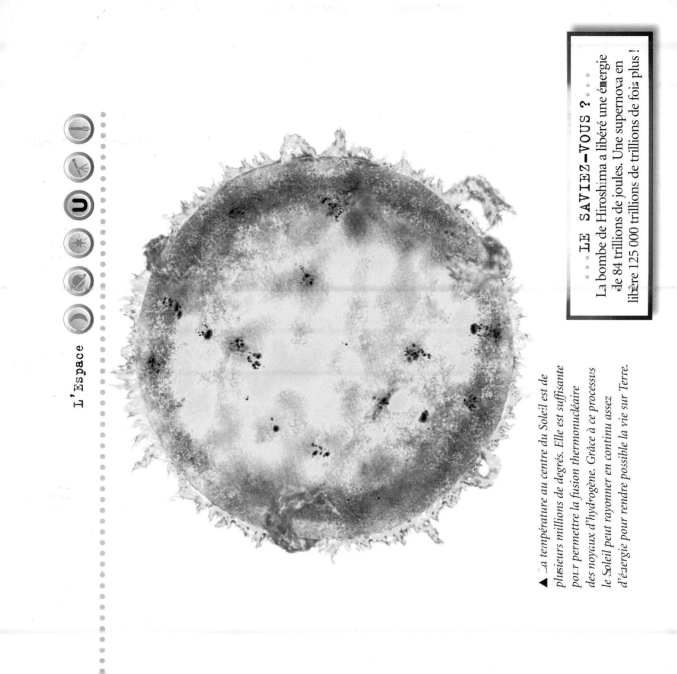

▲ La température au centre du Soleil est de plusieurs millions de degrés. Elle est suffisante pour permettre la fusion thermonucléaire des noyaux d'hydrogène. Grâce à ce processus le Soleil peut rayonner en continu assez d'énergie pour rendre possible la vie sur Terre.

LE SAVIEZ-VOUS ?
La bombe de Hiroshima a libéré une énergie de 84 trillions de joules. Une supernova en libère 125 000 trillions de trillions de fois plus !

Les radiations

- **Les radiations** sont des particules issues de la radioactivité ou des rayonnements électromagnétiques très énergétiques émis par les atomes.

- **La radioactivité** est l'émission de radiations par des atomes qui se désintègrent (se cassent) – noyaux d'hélium (particules alpha), électrons, positons (particules bêta) ou photons (rayons gamma).

- **La radioactivité peut être naturelle** ou provenir de l'explosion d'une bombe thermonucléaire ou des déchets d'une centrale nucléaire. Elle détruit les cellules vivantes, amenant à forte dose la maladie, puis la mort.

- **Un rayonnement électromagnétique** doit être considéré à la fois comme une onde, de longueur d'onde et d'intensité données, et un faisceau de particules sans masse (les photons) aux caractéristiques équivalentes.

- **Au passage d'un rayonnement électromagnétique,** les champs électrique et magnétique du lieu sont modifiés (*voir* Magnétisme).

- **Les différents rayonnements** électromagnétiques forment le spectre électromagnétique.

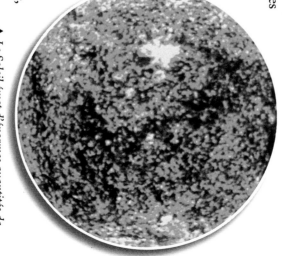

▲ *Le Soleil émet d'énormes quantités de radiations de tous types. Heureusement l'atmosphère nous protège des plus dangereuses.*

L'Espace

- **Les rayons gamma,** de très courte longueur d'onde, sont les rayonnements électromagnétiques les plus énergétiques.

- **Les ondes radio,** à l'autre bout du spectre électromagnétique, sont des rayonnements de très grande longueur d'onde, très peu énergétiques.

- **Entre les deux** se succèdent les rayons X, les ultraviolets, la lumière visible, les infrarouges et les micro-ondes.

- **La lumière visible** est la petite partie du spectre électromagnétique que perçoivent nos yeux.

- **Tous les rayonnements électromagnétiques se déplacent** à la vitesse de la lumière (environ 300 000 km/s dans le vide).

- **Tout ce que nous détectons** dans l'Univers est repéré par ses rayonnements.

▼ *Le spectre électromagnétique englobe une vaste gamme d'ondes de longueurs d'onde et de propriétés différentes. Toutes se propagent cependant de la même façon.*

Ondes hertziennes	Micro-ondes		Visible	Rayons X	Rayons gamma	Rayons cosmiques

Ondes radar | Infrarouge | Ultraviolet | Longueur d'onde (en mètres)

Ondes radio																Petites longueurs d'onde

10^3 10^2 10^1 1 10^{-1} 10^{-2} 10^{-3} 10^{-4} 10^{-5} 10^{-6} 10^{-7} 10^{-8} 10^{-9} 10^{-10} 10^{-11} 10^{-12} 10^{-13}

Grandes longueurs d'onde

La lumière visible

- **La lumière est à la fois** un rayonnement électromagnétique, une onde et un faisceau de particules d'énergie, sans masse, appelées photons.

- **Toute lumière** provient de la libération d'énergie par des particules (libres ou au sein de noyaux ou d'atomes) (*voir* Radiations, Magnétisme).

- **La lumière visible** est émise surtout par les électrons au sein des atomes – par exemple, quand des atomes excités retournent au repos.

- **Le domaine visible de la lumière** correspond aux longueurs d'onde comprises entre 380 à 750 nanomètres (millionièmes de millimètre) – les seules que nos yeux perçoivent.

- **Les couleurs** correspondent à différents domaines de longueurs d'onde de la lumière visible ; les plus grandes perçues par nos yeux correspondent au rouge, les plus courtes au violet.

- **La lumière** est la chose la plus rapide de l'Univers. Quelle que soit sa longueur d'onde, elle voyage à 299 792 458 mètres par seconde dans le vide.

- **Les rayons lumineux voyagent** toujours en ligne droite, sauf si l'espace-temps est lui-même courbé (*voir* Einstein).

- **Les rayons lumineux** changent de direction lorsqu'ils passent d'un milieu à un autre (par exemple, de l'eau à l'air) – c'est la réfraction.

- **La lumière pâle** des objets célestes très lointains est souvent mesurée par des capteurs appelés CCD (*voir* Observatoires) qui comptent les photons à mesure qu'ils arrivent et reconstruisent peu à peu leur image.

▶ *En passant dans un milieu transparent comme le verre ou l'eau, la lumière est freinée et courbée. Ce phénomène, appelé réfraction, est exploité dans les loupes ou les télescopes afin de grossir ou de rapprocher les objets.*

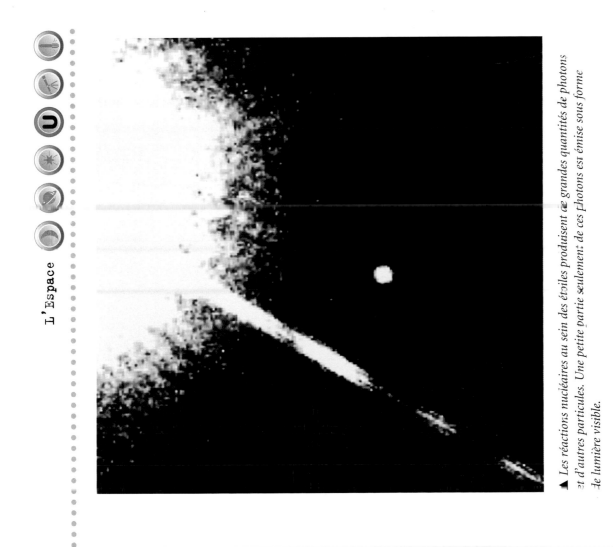

▲ Les réactions nucléaires au sein des étoiles produisent de grandes quantités de photons et d'autres particules. Une petite partie seulement de ces photons est émise sous forme de lumière visible.

Les rayons cosmiques

- **Les rayons cosmiques** sont des particules de grande énergie qui frappent l'atmosphère de la Terre.

- **Les rayons cosmiques de plus faible énergie** proviennent du Soleil ou de la Galaxie, ceux d'énergie moyenne, d'objets dans notre galaxie, comme les supernovae.

- **Les collisions entre les rayons cosmiques et les nuages d'hydrogène** éjectés par les supernovae produisent des rayonnements synchrotrons détectés par les radiotélescopes (ex. : la nébuleuse du Crabe).

- **Les rayons cosmiques les plus énergétiques** sont d'origine extragalactique.

- **85 % des rayons cosmiques de faible énergie** sont des noyaux d'hydrogène.

- **Les autres rayons cosmiques de faible énergie** sont des noyaux d'hélium ou d'éléments plus lourds, des électrons, des positons et des neutrinos.

- **Les neutrinos** sont des particules neutres et sans masse qui n'interagissent pratiquement pas avec la matière (ils traversent la Terre).

- **L'étude des rayons cosmiques** a fourni aux scientifiques la plupart de leurs connaissances initiales sur les particules de grande énergie avant la construction des premiers accélérateurs de particules.

- **La plupart des rayons cosmiques sont déviés** le long des lignes de champ magnétique de la Terre ou absorbés par l'atmosphère avant d'atteindre le sol.

▲ *Seuls les rayons cosmiques les plus énergétiques pénètrent le bouclier du champ magnétique de la Terre, mais leurs interactions avec l'atmosphère rendent difficile leur localisation précise. Beaucoup proviennent du Soleil.*

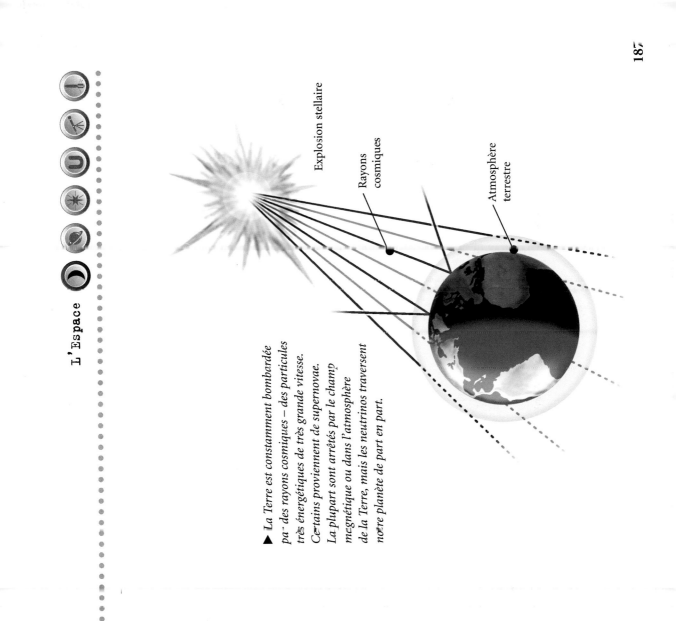

Explosion stellaire

Rayons cosmiques

Atmosphère terrestre

▲ La Terre est constamment bombardée par des rayons cosmiques – des particules très énergétiques de très grande vitesse. Certains proviennent de supernovae. La plupart sont arrêtés par le champ magnétique ou dans l'atmosphère de la Terre, mais les neutrinos traversent notre planète de part en part.

Les rayons X

- **Les rayons X** sont des rayonnements électromagnétiques très énergétiques de longueurs d'onde plus courtes que les ultraviolets et plus longues que les rayons gamma.

- **Les rayons X « thermiques »** sont produits par les gaz très chauds – des plasmas de plus d'un million de degrés.

- **Les principales sources X thermiques** dans l'espace se rencontrent dans la couronne de toutes les étoiles, le halo des galaxies, certains nuages intergalactiques ou les disques d'accrétion autour des trous noirs.

- **Des rayons X sont produits** par effet synchrotron, quand des électrons très rapides interagissent avec un champ magnétique (*voir* Rayons cosmiques).

- **Les principales sources X synchrotron** sont les restes de supernovae (ex. : la nébuleuse du Crabe), les systèmes binaires et les noyaux des galaxies actives.

- **Les rayons X cosmiques** ne peuvent traverser l'atmosphère terrestre. Pour les détecter, les astronomes doivent utiliser des télescopes spatiaux spécifiques comme *AXAF*, *Beppo-SAX* ou *Chandra*, actuellement en activité.

- **La première source X** trouvée (en dehors du Soleil) est l'étoile Scorpius X-1, découverte en 1962 par le satellite *Uhuru*. On en connaît aujourd'hui des dizaines de milliers, pour la plupart de faible intensité.

- **Les plus intenses sources X de la Galaxie** sont des systèmes binaires comme Scorpius X-1 et Cygnus X-1, où de la matière arrachée à un gros compagnon stellaire s'écrase sur une étoile à neutrons ou peut-être un trou noir (*voir* Étoiles doubles).

- **Les binaires X** émettent 1 000 fois plus de rayons X que notre Soleil.

- **Les noyaux de galaxies actives** abritant de gros trous noirs sont de très puissantes sources extragalactiques de rayons X (*voir* Quasars, Trous noirs).

▶ *Le Soleil fut la première source de rayons X découverte.*

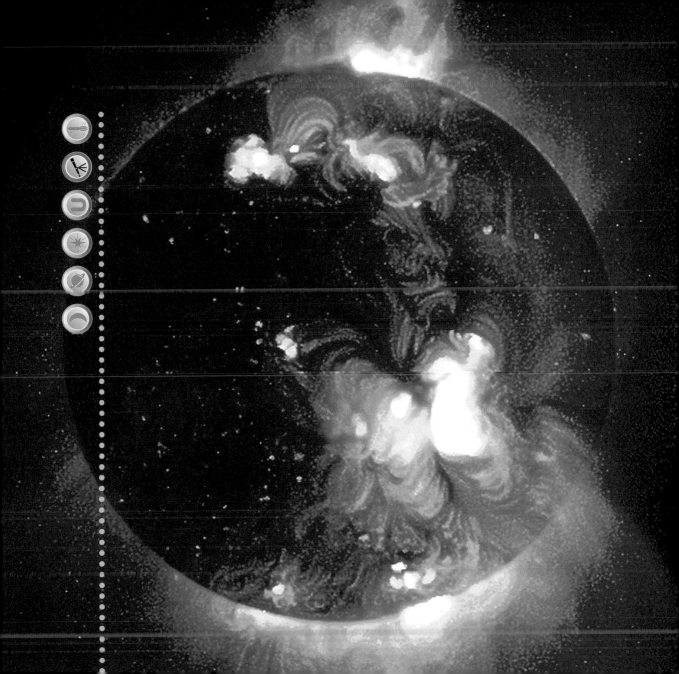

Les éléments chimiques

- **Les éléments** sont les constituants chimiques de base de l'Univers. Il n'y a pas de substances plus simples et ils ne peuvent être décomposés.

- **C'est le nombre de protons** dans son noyau qui caractérise la nature d'un élément (*voir* Atomes) – par exemple, un noyau à 26 protons définit le fer.

- **Les éléments forment une suite** d'atomes possédant un proton de plus que le précédent, le premier étant l'hydrogène. Il existe plus de 100 éléments.

- **Les plus simples et légers des éléments** – l'hydrogène et l'hélium – se sont formés très tôt dans l'histoire de l'Univers (*voir* Big Bang).

- **Les éléments plus lourds** se sont formés peu à peu par la fusion de noyaux d'éléments légers – c'est la nucléosynthèse.

- **La nucléosynthèse** des éléments jusqu'au fer se fait dans les étoiles où la température et la pression sont suffisantes pour de telles réactions.

- **Les étoiles naines** produisent des éléments légers (oxygène, carbone), les étoiles géantes et supergéantes, des noyaux plus lourds (silicium, magnésium, calcium).

- **Les éléments autour du fer** se forment quand des supergéantes en fin de vie s'effondrent, décuplant la pression et la température dans leur cœur.

- **Il a fallu trois générations d'étoiles** depuis la création de l'Univers pour former les éléments les plus lourds.

▶ *Les nébuleuses comme celle d'Orion contiennent déjà des éléments assez lourds comme l'oxygène, le carbone ou le silicium, synthétisés par de précédentes générations d'étoiles et que l'explosion en supernovae a réinjecté dans l'espace.*

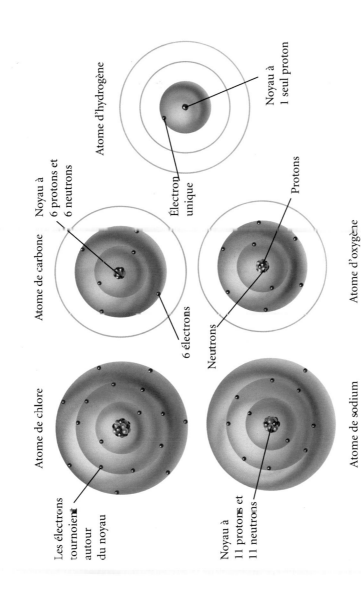

Atome d'hydrogène

Noyau à
1 seul proton

Électron
unique

Atome de carbone — Noyau à
6 protons et
6 neutrons

Protons

6 électrons

Neutrons

Atome d'oxygène

Atome de chlore

Les électrons
tournoient
autour
du noyau

Noyau à
11 protons et
11 neutrons

Atome de sodium

▲ *Un élément chimique est défini par le nombre des
protons de son noyau qui, sauf l'hydrogène, contient
aussi des neutrons en nombre égal ou supérieur.
Le noyau est entouré d'électrons en mouvement,
d'autant plus éloignés du noyau que leur énergie est
grande. Leur nombre est identique aux protons, sinon
l'atome n'est plus électriquement neutre mais ionisé.*

···**LE SAVIEZ-VOUS ?**···
Les atomes massifs comme l'uranium et le thorium
se forment dans l'onde de choc des supernovæ.

191

L' eau

- **L'eau est la seule substance** sur Terre trouvée communément sous ses trois formes, solide, liquide et gazeuse.

- **Plus de 70 % de la surface** de la Terre est recouverte d'eau.

- **L'eau est fondamentale** à la vie. Notre corps est fait à 76 % d'eau.

- **La molécule d'eau** est composée de deux atomes d'hydrogène pour un atome d'oxygène, d'où sa formule : H_2O.

- **L'eau est la seule substance moins dense** (lourde) à l'état solide qu'à l'état liquide – c'est pourquoi la glace flotte.

- **La Terre est la seule planète** du Système solaire à posséder de l'eau liquide en surface.

- **Les lits asséchés de torrents** montrent que Mars a eu de l'eau libre en surface. La sonde *Mars Odyssey* a montré que son sous-sol renferme encore de l'eau ou de la glace d'eau, au moins aux pôles.

- **Europe**, une lune de Jupiter, abriterait un océan sous sa surface gelée, ce qui en fait l'un des principaux objectifs de la recherche de la vie dans le Système solaire.

- **En 1998**, une sonde spatiale a découvert des indices d'eau gelée au fond de quelques cratères de la Lune.

▼ *Il y a des traces d'eau sur la Lune, mais la couleur bleue de la Terre prouve que c'est la seule véritable « planète d'eau » du Système solaire.*

L'Espace

▼ Presque les trois quarts de la surface
de notre planète sont recouverts d'eau.

Les marées

- **Les marées** sont la montée et la descente biquotidiennes du niveau des océans terrestres.

- **Les marées sont engendrées** par l'attraction gravitationnelle conjointe du Soleil et de la Lune.

- **L'attraction de la Lune** engendre deux bosses sur les océans – l'une sous elle et l'autre à l'opposé de la Terre.

- **À mesure que la Terre tourne** sur elle-même, les renflements dus aux marées se déplacent autour du monde.

- **Suivant la position de la Lune** par rapport au Soleil, la marée haute est maximale (de vive-eau) à la nouvelle et à la pleine Lune ou minimale (de morte-eau) au premier et dernier quartier.

- **La masse solide de la Terre** subit aussi des marées qui sont toutefois très faibles – le sol se soulève de 0 cm aux pôles à 40 cm à l'Équateur.

▶ À mesure que la Terre tourne, ses océans et ses mers sont soulevés par les attractions combinées de la Lune et du Soleil – d'où le phénomène des marées. Comme la Lune se déplace de 1/28 de tour en 24 heures, les marées se décalent de 50 minutes par jour.

L'Espace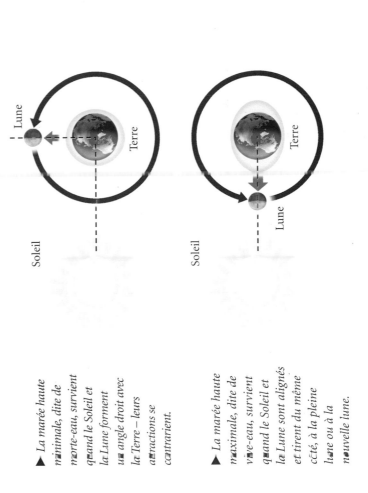

- **Le phénomène des marées existe partout** dans l'espace, chaque fois qu'un objet céleste orbite autour d'un autre.

- **Les lunes** qui gravitent autour de grosses planètes subissent d'énormes marées gravitationnelles. Io, une lune de Jupiter, est si déformée que son cœur s'échauffe assez pour engendrer des éruptions volcaniques.

- **Des galaxies entières** peuvent être affectées par des marées gravitationnelles qui les déforment, lorsque deux galaxies se croisent.

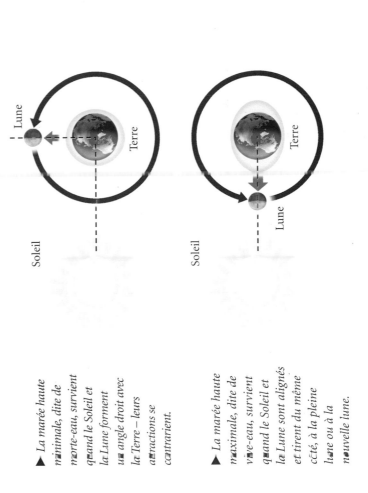

▶ *La marée haute minimale, dite de morte-eau, survient quand le Soleil et la Lune forment un angle droit avec la Terre – leurs attractions se contrarient.*

▶ *La marée haute maximale, dite de vive-eau, survient quand le Soleil et la Lune sont alignés et tirent du même côté, à la pleine lune ou à la nouvelle lune.*

Soleil · Lune · Terre

Le magnétisme

- **Le magnétisme est la force** qui attire ou repousse les matériaux magnétiques selon leur polarité.

- **Le magnétisme est lié** à l'électricité. Tous deux sont deux aspects d'une même force appelée l'électromagnétisme.

- **Le fer et le nickel** sont les matériaux magnétiques les plus courants. Le passage de l'électricité peut aussi créer un champ magnétique.

- **Tout aimant agit** sur une région finie de l'espace – celle où s'exerce son champ magnétique.

- **La magnétosphère** est la région autour d'une planète ou d'une étoile où s'exerce son champ magnétique.

- **La plupart des planètes** du Système solaire possèdent un champ magnétique.

- **Le champ magnétique des planètes** est engendré par la présence d'un matériau fluide conducteur (fer, eau salée). En tournant avec la planète, celui-ci génère des courants électriques qui créent le champ magnétique.

- **Le champ magnétique de Jupiter** est environ 12 fois plus puissant que celui de la Terre car Jupiter tourne très vite.

- **Uranus et Neptune,** contrairement aux autres planètes, ont leur champ presque à angle droit avec leur axe de rotation.

- **L'électromagnétisme** est l'une des quatre forces fondamentales de l'Univers avec la gravité et les deux forces (forte et faible) qui régissent les atomes.

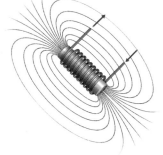

▶ *Dans un électroaimant, le champ magnétique est produit au passage d'un courant dans une bobine conductrice, dans une planète, à la rotation d'un fluide conducteur.*

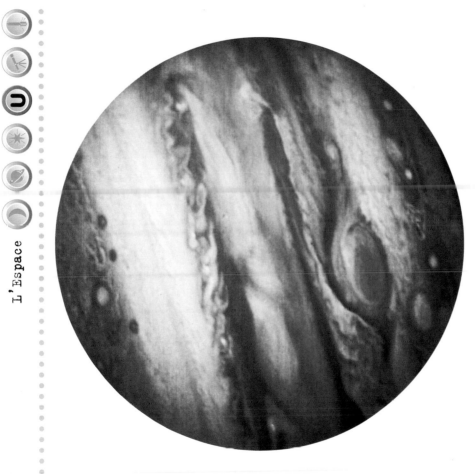

▲ La planète Jupiter est un des plus puissants aimants du Système solaire. Son champ magnétique a été détecté d'abord par ses émissions synchrotron – les rayonnements émis par des électrons accélérés dans ce champ.

Depuis 150 ans, sur la Terre, le champ magnétique s'affaiblit rapidement, principalement au pôle Nord – signe possible d'une prochaine inversion de sa pola-ité.

La rotation

- **La rotation est le mouvement naturel** de la plupart des objets célestes. Par rotation on entend « tourner sur soi-même ».

- **Les étoiles**, les planètes, les lunes et les galaxies tournent sur elles-mêmes – même les atomes sont en rotation.

- **Les lunes tournent en outre autour** de leur planète, les planètes autour de leur étoile et les étoiles, autour du centre de leur galaxie.

- **La Terre** tourne sur elle-même en 23,96 heures – c'est sa période de rotation.

- **Nous ne sentons pas** la rotation de la Terre – qui, de plus, tourne autour du Soleil qui se déplace lui-même avec la Galaxie – parce que ce sont des mouvements sans accélération. Mais nous pouvons la déduire de l'écoulement de l'eau dans un trou : il se forme un tourbillon.

- **Une des lois fondamentales de l'Univers** impose que l'énergie cinétique se conserve. Il suffit donc d'un infime mouvement du nuage donnant naissance à une planète ou à une galaxie pour qu'en se contractant sa matière se mette à tourner, d'autant plus vite que son volume diminue.

- **La planète du Système solaire qui tourne le plus vite** sur elle-même est Jupiter, qui fait un tour en 9,84 heures.

- **La planète qui tourne le plus lentement** sur elle-même est Vénus (243,02 jours).

- **Le Soleil met 25,4 jours** à tourner sur lui-même, mais comme la Terre tourne aussi autour de lui, il nous semble mettre 27,27 jours.

▶ *La rotation des galaxies est un des aspects du mouvement de l'Univers.*

L'Espace

La gravité

- **La gravité est la force** d'attraction qui se manifeste entre toute matière.

- **La gravité maintient** les choses à la surface de la Terre et maintient la cohésion de la planète. Elle régit le mouvement orbital des corps célestes.

- **Une orbite résulte d'un équilibre parfait** entre la gravité exercée sur un objet qui le fait « tomber » et son impulsion qui l'entraîne en avant.

- **La gravité permet** aux étoiles de « brûler » en comprimant leur matière.

- **La force de la gravité entre deux objets dépend** de leurs masses et de la distance qui les sépare (*voir* Newton).

- **Plus un objet est massif** et proche d'un autre objet, plus il attire fortement ce dernier.

- **Les trous noirs exercent** la plus forte attraction gravitationnelle de tout l'Univers.

- **Tout objet massif déforme l'espace-temps.** Par suite la lumière qui passe à proximité se trouve déviée (*voir* Einstein).

- **Les lois fondamentales de la gravitation** s'utilisent pour tout — détecter un objet invisible par la déviation qu'il impose à la lumière, comme aider le vol d'une sonde spatiale.

▼ *Les pas des astronautes sur la Lune restent la seule expérience humaine de gravité sur un autre monde.*

- **Sur Terre, l'accélération de la gravité** est de 9,81 m/s² sur tout objet massif. Sur Mars, elle chute à 38 % de cette valeur mais grimpe à 234 % sur l'énorme Jupiter.

▲ *L'absence de gravité dans l'espace fait flotter les astronautes dans la cabine à moins qu'ils ne s'attachent.*

Newton

- **Isaac Newton** (1642-1722), un savant britannique, a conçu les lois qui régissent les mouvements de tous les corps dans l'Univers.

- **Newton commença par préciser** les idées fondamentales de l'espace, du temps, de la masse, de la force et de l'accélération.

- **Les trois lois de la mécanique universelle** relient ces concepts : le principe d'inertie, la loi de l'accélération et le principe de l'égalité de l'action et de la réaction.

- **Le principe d'inertie** distingue la masse d'un objet et son poids, qui est le produit de sa masse par l'accélération gravitationnelle du lieu (il ne pèse plus rien en apesanteur).

- **La loi de l'accélération** dit que la force exercée sur un objet est le produit de sa masse par son accélération.

- **Newton unifia ensuite** les lois de Kepler, les lois de Galilée et ses trois lois en une seule, la loi de l'attraction universelle, exposée en 1686 dans les *Principes mathématiques de la philosophie naturelle*.

- **La loi de l'attraction universelle explique pourquoi** la gravité fait tomber les choses vers le sol et orbiter les planètes autour du Soleil.

▶ *Newton a aussi découvert que la lumière blanche du Soleil se décompose en toutes les couleurs de l'arc-en-ciel (son spectre) en passant à travers un prisme de verre.*

L'Espace

- **L'attraction gravitationnelle** entre deux objets dépend du produit de leurs masses divisé par le carré de leur distance relative – plus les deux objets sont légers et distants, plus l'attraction qu'ils exercent l'un sur l'autre est faible.

- **La loi de l'attraction universelle** a permis aux astronomes de détecter des étoiles et des planètes jusqu'alors inconnues comme Neptune et Pluton, par l'effet de leur gravité sur les autres objets spatiaux.

▲ *Newton fut fait professeur lucasien de mathématiques à l'université de Cambridge en 1669, où il étudia comment et pourquoi les objets se déplacent dans l'Univers.*

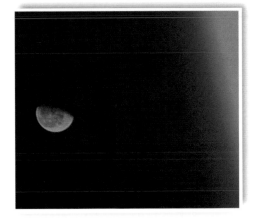

▲ *La théorie de la gravité de Newton montra pour la première fois pourquoi la Lune reste sur son orbite autour de la Terre, et comment leur attraction gravitationnelle mutuelle se décrit mathématiquement.*

Les trous noirs

- **Les trous noirs** ont une gravité si forte qu'ils capturent tout, même la lumière.

- **La gravité contracte** le trou noir en un point infiniment petit ou singularité.

- **Autour de la singularité**, la gravité intense déforme l'espace-temps comme un entonnoir : l'espace se distend tandis que le temps ralentit.

- **Un trou noir se forme** quand une étoile très massive s'effondre au-delà de la cohésion de la matière (*voir* Étoiles à neutrons).

- **Un trou noir hypermassif** se forme au cœur des galaxies quand des milliers à des milliards d'étoiles très proches fusionnent et s'effondrent sur elles-mêmes (*voir* Quasars).

- **La matière qui s'approche d'un trou noir** y tombe en spirale, formant un disque d'accrétion. Comprimée et déformée, elle rayonne intensément (*voir* Rayons X).

- **Un trou noir convertit** une partie de la matière directement en énergie.

- **Des théories prévoient qu'à l'autre bout** d'un trou noir existe une « fontaine blanche » d'où jaillirait matière et lumière.

▲ *Deux jets de plasma longs de milliards de km jaillissent à la vitesse de la lumière de part et d'autre du disque d'accrétion (au centre), dans l'axe de rotation du trou noir.*

▲ *Les rayonnements de la matière surchauffée qui spirale autour permettent de repérer un trou noir.*

. . . LE SAVIEZ-VOUS ? . . .
Trou noir et fontaine blanche sont
théoriquement reliés par une sorte de tunnel
appelé « trou de ver ».

La matière sombre

- **La matière sombre,** ou masse cachée, n'est pas visible car, contrairement aux étoiles et galaxies, elle n'émet pas de rayonnements.

- **Il y aurait 90 % de matière sombre** dans l'Univers.

- **Son existence** est révélée par ses effets gravitationnels sur les étoiles et les galaxies.

- **La matière sombre galactique** se trouverait dans le halo des galaxies spirales sous forme de nuages diffus et froids de poussières et de gaz d'étoiles mortes ou avortées, voire de micro-trous noirs.

- **La matière sombre intergalactique** serait constituée de matière primordiale refroidie et/ou de particules exotiques prévues par diverses théories mais jamais détectées.

- **Ces particules massives, appelées WIMPS** (*Weakly Interactive Massive Particles*) ou « mauviettes », seraient issues du Big Bang. Interagissant très peu avec la matière, elles erreraient depuis, inchangées.

- **L'avenir de l'Univers** dépend de sa masse, et donc de la quantité de matière sombre. Si sa masse dépasse une valeur critique, sa gravité finira par stopper son expansion actuelle et il se contractera (*voir* Big Bang).

- **La masse de l'Univers dépend** des neutrinos. S'ils possédaient une masse, même petite, leur très grand nombre « pèserait » lourd.

▲ *Les étoiles lumineuses d'une galaxie constituent 1/10 environ de sa masse totale. Le reste serait de la matière sombre, invisible.*

▲ *Les astronomes évaluent la masse totale d'une galaxie d'après sa dynamique et/ou la déviation de la lumière d'objets célestes distants que sa gravité courbe. En la comparant avec la masse des étoiles visibles, ils en déduisent la masse de la matière sombre.*

Index

A

accélération 56, 72, 176, 198, 201, 202
acide sulfurique 98
acides aminés 120
actives, galaxies 166, 188
  voir aussi quasars
activités extra-
  véhiculaires 84
activité solaire 15, 32, 34, **36-37**, 168
Adams, John 114
Adrastée 104
agences spatiales 82
AGK, cartes célestes 120
Aigle, constellation
  (*Aquila*) *134*
Albiréo 149, *149*
Alcor 149
Aldrin, Edwin *83*, 86
Alexandre le Grand 44
Algol (« la Tête du
  Démon ») 142
alpha, particules 182
altitude 121
aluminium 12
Amalthée 104
amas d'étoiles 46, *119*,
  130, 134, *134*, 142,
  143
  globulaires 142
amas de galaxies 126,
  127, **130-131**
Américains, astronautes
  82, 84, 86

astronomes 58, 100,
  116
exploration spatiale
  66, *67*, 69, 76, 78,
  96, 97, 100, 102,
  105
Lune 86
navette 69, *70*, 74-75,
  80, 82
observatoires 48, *49*,
  60
station spatiale 90, *90*
ammoniac *105*, *109*,
  113
an, année 121, 124,
  170-171, 174, *174*,
  160, 164, 168
Copernic *17*
Jupiter *105*
Kepler 94
Mars 100
Mercure 96
Neptune 114
Pluton 116
Saturne 108
Uranus 112
Vénus 99
Ananké 104
Andromède, galaxie
  41, 46, 126, *126*
Anneau, nébuleuse 133
anneaux (planètes) 105
  Neptune *29*, 78, *115*
  Saturne 109, **110-**
    111
  Uranus 78, *113*

année-lumière 8, 128,
  129, **174-175**
Antarès 118, 150, *175*
antenne (radio-
  télescope) 60
antimatière 10
apesanteur 69, *82*, 83,
  176, 202
aphélie 14, 94, 170
Apollo, missions 66,
  67, *83*, 84, 86, *86*,
  200
apparition de la vie 20
Arctique *168*
Arcturus 118
Arecibo, radio-
  télescope 22, 60, 99
Ariel 112
Arizona, cratère
  météoritique *161*
  observatoire 49
armes nucléaires *180*
  voir aussi bombe
Armstrong, Neil *83*,
  86, *87*
Arsia Mons (Mars) *101*
artificiels, satellites 62,
  64, 68, 80
  voir aussi
    observatoires
    spatiaux, sondes
    spatiales
ascension droite 46,
  156
Ascraeus Mons (Mars)
  101

assistance gravitation-
  nelle 76, 78
astéroïdes **158-159**
  exploration spatiale
    66, 76
  lunes 28
  météores 160
  planètes 92
  Uranus 112
astrologues 124
astronautes **82-83**
  apesanteur 176, *201*
  combinaison 88
  exploration spatiale
    66
  fusées 71
  gravité *200*
  Lune 27, 86
  sorties
    extravéhiculaires
    84, *84*, 85
  véhicules spatiaux 69
astronomes 9, *30*, 42,
  46, 47, 48, 50, 58,
  98, *102*, 106, 118,
  120, 121, 122, *123*,
  124, *125*, 126, 134,
  138, 150, 152, 164,
  172, 174, 188, 202,
  203, 206, *207*
  noms cités 16, 20, 22,
    44, 46, 52, 56, 58,
    94, *94*, 100, 104,
    110, 116, *116*, 146
astronomie **42-43**, 44,
  172, 174

Atlantis, navette
spatiale 74
atlas stellaires 120
Atlas, fusées *37*
atmosphère **18-19**
aurores
magnétiques 168
étoiles 134, 136,
138
Lune 26
lunes 28
Mars 100, 102
Mercure *96*, *96*
météores 160
Neptune 114
observation *41*, 54
Pluton *117*
radiations 182
rayons cosmiques
34, 186, *186*, 187,
187, 188
Saturne *109*
Terre 14, 118
Uranus 112, *113*
Vénus 98, *99*
vie 20, *20*
atomes **178-179**
Big Bang 10
éléments
chimiques 190,
191
énergie nucléaire
180, *181*
étoiles 118, 134,
144
lumière 184

radiations 182
rayons cosmiques
186
rotation 198
aube 24, *24*
aurores magnétiques
168-169
austral, hémisphère
voir hémisphères
AXAF, satellite 188
axes de rotation 156,
157, 196
azimut 121
azote, engins
spatiaux 69
lunes 28, *29*, 114
Terre 14, 168

B

Babylone 44, 122
Balance,
constellation
(*Libra*) 124, *125*,
157
Baleine, constellation
(*Cetus*) 142
basse, marée 194
Bayeux, tapisserie
164, *164*
Beijing (Pékin),
observatoire 48
Bélier, constellation
(*Aries*) 124, *125*,
156, *157*
Bell, Jocelyn 146

Beppo-SAX, satellite
188
bêta, particules 182
voir aussi positons
Bételgeuse 150, 175
Bible 165
Big Bang 8, 9, **10-11**
E. Hubble 58
éléments
chimiques 190
matière sombre
206
radiotélescopes 60
télescopes spatiaux
54
binaires, étoiles 142,
148-149, 188
bissextile, année 170,
170
blanches, naines 36,
134, 140, *141*
bombe nucléaire 118,
180, *180*, 181, 182
Bonner, carte céleste
120
boosters (fusée) 70,
70
navette spatiale 74
boréal, hémisphère
voir hémisphères
boréale, aurore
voir aurores
magnétiques
Brahe, Tycho *94*
brunes, naines 134,
140, 141, 206

bulbe (galaxie) 126,
128

C

calcium 190
calendaire, année
170, *171*
Callisto 104, 106, 107
Caloris, bassin
(Mercure) *97*
calottes polaires,
Mars *101*
Mercure *97*
Triton 114
Cambridge,
université 46, *203*
caméra-robot *85*
canaux (Mars) 100
Cancer, constellation
(*Cancer*) 124, *157*
Capricorne,
constellation
(*Capricornus*) 124,
157
carbone 22, 136, *136*,
190, *190*, *191*
carbone-14 37
carbonique, gaz 69,
98, *99*
carburant, fusées 76
voir aussi
propergols
Carmé 104
cartes célestes **120-121**

Index

casque spatial 88
Cassini, division 110
Cassini, Jean-
    Dominique 110
Cassini, sonde spatiale
    109
catalogues
    astronomiques 44,
    46-47, 52, 120
    catalogue
        fondamental 120
    photométriques 120
CCD 48, 50, 184
ceinture principale
    d'astéroïdes 158,
    159
centrale nucléaire 180,
    182
Céphéides, étoiles 142,
    172
Cérès 158
CGRO, observatoire
    spatial 54
chaleur, atmosphère 18
    énergie nucléaire 180
    étoiles 118
    formation de la
        Terre 12
    marées 195
    Soleil 30, 31, 32, 34
Challenger, navette
    spatiale 74, 75
champ gravitationnel
    62
    voir aussi gravité,
        relativité générale

champ magnétique
    196, *197*
    aurores
        magnétiques 168
    étoiles à neutrons
        144
    Jupiter 10, 197
    Mercure 96
    radiations 182, 188
    Saturne 109
    Terre 15, 34, *186*,
        187, *187*
chandelles cosmiques
    172
Chandra, observatoire
    spatial 145, 188
Chandrasekhar, limite
    de 144
chargées, particules
    34, 168
Chariot, constellation
    122
Charon 116
chi Cygni (étoile) 142
Chine 48, 70, 138, 164
chlore *191*
Christy, James 116
chromosphère 30, *31*
chute libre 176
ciel nocturne **40-41**,
    42
    catalogues
        astronomiques *46*
    comètes 162, *162*
    constellations *123*
    jour et nuit 24

météores 160
observatoires 48
sphère céleste 156
Vénus 98
circulaire, orbite 62
civilisation
    extraterrestre 22
civilisations antiques
    voir Babylone,
        Grèce, Rome
climat 32, *37*
COBE, observatoire
    spatial 54
Collins, Michael *83*
Columbia, navette
    spatiale 74, *83*
combinaison spatiale
    27, 86, **88-89**
comburant 70
combustible nucléaire
    140
    voir aussi énergie
        nucléaire, étoiles
comètes 160, **162-163**
    de Halley 164, *164*
    exploration 76
commande, module *83*
composés chimiques
    20, 23, 190
    voir aussi eau,
        hélium,
        hydrogène, fer,
        nickel, magnésium,
        plutonium,
        silicium, sodium,
        thorium, uranium

Compton, observatoire
    spatial *voir CGRO*
constante de Hubble 58
constellations **122-123**,
    137, *142* 149, *149*
    cartes stellaires 121,
        121
    catalogues
        astronomiques 46
    étoiles géantes *137*
    Hipparque 44
    météores 160
    zodiaque 124, *157*
    voir aussi Aigle,
        Balance, Baleine,
        Bélier, Chariot,
        Croix du Sud,
        Cygne, Gémeaux,
        Grand Chien,
        Grande Ourse,
        Hydre femelle,
        Lion, Lyre,
        Ophiuchus, Orion,
        Pégase, Persée,
        Poissons, Poupe,
        Sagittaire,
        Scorpion, Taureau,
        Verseau, Vierge
continents *13*
coordonnées célestes
    121
Copernic, Nicolas **16-
    17**, 44, 54
corps mineurs *voir*
    astéroïdes, comètes,
    cratères, météores

cosmonautes 80, 84
voir aussi
astronautes
couleur, étoiles 120,
152, 172, 184, *202*
courbure, gravité 184,
184, 207
lumière 50
télescopes 54, *54*
univers 8
couronne stellaire 30,
38, *38*
éjection de masse
coronale 34
Crabe, nébuleuse 46,
133, 138, *146*,186,
188
pulsar 146, *146*
cratères météoritiques
Callisto 106, 107
Lune 26, *27*, 192
Mercure 96, 97, *97*
Terre *161*
voir aussi impacts
crépuscule *24*
Croix d'Einstein *167*
Croix du Sud,
constellation (*Crux*)
123
cycle lunaire *voir*
phases
cycle solaire 32
cyclones 104, 109, *115*
Cygne, constellation
(*Cygnus*) 142, *142*,
149, *149*, 174

étoiles géantes 137,
137
voir aussi Cygnus X-1
Cygnus X-1 (étoile)
188

D

débris spatiaux 12, 96,
97
déclinaison 46, **156**
décollage (fusée) 68,
72 73, 75
Deep Space 1 158
Deimos 101
Deneb 151, 174
densité, eau 192
étoile à neutrons 144
Saturne 109
Soleil 31
trous noirs 204
désignation des étoiles
46, 122
désintégration
radioactive 12
Despina 114
diagramme H-R **152-
153**, 172
diffuses, nébuleuses
133
Discovery, navette
spatiale 74, 75
distances *172* 173
année-lumière 174
décalage vers le
rouge 154

diagramme H-R
152
gravité 200
Newton 202
des plus brillantes
étoiles *175*
Doppler, Christian 154
Double double
(ε Lyrae) 149
double optique 148,
149, *149*
doubles, étoiles 52,
148 149
Drake, Frank 22
dzêta Puppis 118

E

eau 20, **192-193**,
astronautes 69, 83
atmosphère *18*
Ganymède 106
magnétisme 196
marées 194
Mars 100
Mercure *97*
Pluton 117
Terre 14, *15*
éclairs 20, *20*, 105
voir aussi orages
éclat 36, *36*, 40, 46,
120, 142, 150, *150*,
152, *166*, *172*
voir aussi
luminosité,
magnitude

éclipses **38-39**, 176
étoiles doubles 148
étoiles variables 142
Lune 38
Soleil 38, *38*, 39, *176*
écliptique 15, 116,
121, **124**, *157*
effet de serre (Vénus)
98
effet Doppler 154
Égypte antique 42, *43*,
122
Einstein, Albert 8,
176-177, 201
Einstein, observatoire
spatial 54
Elara 104
électromagnétisme
196, *196*
voir aussi
rayonnements
électrons 118
atomes 178, *178*
éléments chimiques
191
magnétisme *197*
rayons cosmiques
186
rayons X 188
éléments chimiques
138, 144, 178, **190-
191**
elliptiques, galaxies
126, 130
elliptiques, orbites 62,
63, 94, 116

Index

émission, nébuleuses à 132, *132*

émission synchrotron 186, 188, *197*

EMU (*Extravehicular Mobility Unit*) *voir* combinaison spatiale

Encelade 28, *28*

Encke, division 110

énergie cinétique 198

énergie nucléaire 138, *140*, 180-181

voir aussi étoiles, fusion, Soleil

énergie

atomes *178*

aurores magnétiques 168

Big Bang 8, 10

électrons *191*

étoiles 134, 139, 142

nucléaire **180-181**, *180*, *181*

quasars 166

radiations 182, *183*, 184, 186

rotation 198

Soleil *33*, 34, 36

engins spatiaux 64, **68-69**, 70

exploration 66-67

lancement 72-73

orbites 62-63

voir aussi sondes, navette, satellites,

observatoires spatiaux

entraînement des astronautes 82, *82*, 83

environnement, modifications 37

équateur 14, 62, 65

Saturne 108, 110

Soleil 33

sphère céleste 156

Uranus 112

équateur céleste 121, 156, *157*

équation de Drake 22

équatoriales, coordonnées 121

équinoxes 44

éruptions solaires 30, **34-35**, 168

voir aussi activité solaire

espace-temps 8, 186, 188, 206, 204

espions, satellites 64

étages (fusée) 72

États-Unis *voir* Américains

Étoile de Bethléem *voir* Étoile de la Nativité

Étoile de la Nativité 165

Étoile du soir *voir* Vénus

Étoile du berger *voir* Vénus

Étoile du matin *voir* Vénus

Étoile polaire (Polaris) 156

étoiles **118-119**

à neutrons 136, 138, 141, **144-145**, 146, 188, 198

catalogues et cartes 44, 46, *46*, 120-121

distances 152, 172, 173, *175*

doubles **148-149**

évolution 10, *11*, 204, 152, *141*, 138, 133, *133*

extraterrestres 22, 92

gravité 200

les plus brillantes **175**

luminosité 150, *150*, 151

magnétisme 196

matière sombre 141, 206, *206*

naines 36, 100, 134, 137, **140-141**, 142, 152, *153*, 190

nucléosynthèse 180, 190, *190*,

observation 42, 122, *123*, 16, 24, 38, 52, 44, 202, 203, 40, *41*, 66, 77, 124, 156, *157, 132*

orbites 62

rayonnements *184*, *187*, 188

rotation 198

structures 126, 128, 129, *129*, 130,

variables 136, 138, 141, **142-143**, 146, 188, 198

voir aussi géantes, pulsars, Soleil, supernovae, trous noirs

étoiles filantes 160, *160*

voir aussi météores

Europa 20, 104, 106, 192

exoplanètes 92, 200

Exosat, satellite 54

expansion de l'Univers 8, *8*, 10, *11*, 154, 206

exploration spatiale **66-67**, 76, 80

voir aussi Américains, astronautes, fusées, sondes, Soviétiques

extinction des dinosaures 161

extraterrestres **22-23**, 66, *68*

F

face cachée (Lune) 27

fauteuil spatial (*MMU*) 84, *84*, 88

fer 190
  énergie nucléaire 180
  étoiles 136, 138, 144
  magnétisme 196
  planètes telluriques 12, 14, 15, 96, 100
  rayons cosmiques 186
filtres (engins spatiaux) 68, 69
fission nucléaire 180
fond cosmologique diffus 10, 54, 60
fontaine blanche 204, 205
force gravitationnelle *voir* gravité
forces, électrique 10, 34, 178, 182, 196
  fondamentales 10, 180, 196, *196*, 200
  voir aussi gravité, électromagnétisme
formaldéhyde 23
formation de la Terre **12-13**, 14
fossiles 20, 100
fusées *37*, 70, *70*, 72, *72*, 84, 90
  voir aussi carburant, décollage, lanceurs
fusion nucléaire 10, 180, *181*, 190
  bombes 118, 180, *180*, 181, 182
  étoiles 118, 134,

136, *136*, 138, 140, 141, *141*, 144
  Soleil 30, 31, 36

G

Gagarine, Youri 80
Galatée 114
Galaxie, la *voir* Voie lactée
galaxies 8, 42, 52, 58, 60, *119*, 132, 138, 174, 188, 195, 202, 204, **126-127**
  actives 166, 168
  amas 130-131
  Big Bang 10, *11*
  catalogues 46, *46*
  ciel nocturne 40, 41, *41*
  décalage vers le rouge 154-155
  distance 172, 173
  matière sombre 206, *206, 207*
  quasars 166, *167*
  rotation 198, *198*
  Voie lactée 128, 129, *138*, 142, 146, 186
Galilée (Galileo Galilei) 17, **56-57**, 104, 106, 110
galiléennes, lunes 78, 104, **106-107**
Galileo, sonde spatiale 105, 158

Ganymède 28, *29*,104, 106
Gaspra 158
gaz 70, 129, 172, 188
  atmosphère 18
  aurores magnétiques 168
  comètes 162
  étoiles 118, 136, *141*, 146
  planètes 98, *99*, 104, 108
  Soleil 30, 36
  vie 20
  voir aussi nuages, géantes gazeuses, eau
gaz carbonique, épuration 69
  Vénus 98, *99*
géante rouge (étoile) 36, **136**, *141*, 152, *153*
géantes gazeuses (planètes) 92, 104, 108, 112, 114
géantes, étoiles **136-137**, 138, *141, 148*, 152, *153*, 180, 190
  voir aussi supergéantes
Gémeaux, constellation (*Gemini*) 124, *157*
Géminides, météores 160

géocroiseurs 158
géologie (Mars) 102
géostationnaires, orbites 62, 65
glace 192
  astéroïdes 158
  comètes 162
  formation de la Terre 12
  lunes 28, 106
  Pluton 117
  Saturne *109*, 110, *111*
  voir aussi calottes glaciaires
globule stellaire 134, *134*
Goddard, Robert 70
GPS, Système de positionnement global 64
Grand Chien, constellation (*Canis Major*) 140
Grand mur 130
Grand Nuage de Magellan 126, 130
Grande nébuleuse d'Orion 132
Grande Ourse, constellation (*Ursa Major*) 122, 149
  47 Ursae Majoris (étoile) 92
Grande Tache Rouge (Jupiter) 104, *105*

Index

Grande Tache Sombre
(Neptune) *114*, *115*
granules (Soleil) 30
gravitationnelle,
marée 195
voir aussi gravité
gravité **200-201**
Big Bang 10
décalage vers le
rouge 154
Einstein *167*, 176
éléments chimiques
190
énergie nucléaire 180
engins spatiaux 56,
69, 70, 72, *72*, 76,
76, 78
étoiles *119*, 134,
144, *144*, 148
galaxies 106,*107*
magnétisme 196
marées 194, *194*, 195
matière sombre 206
Newton 202, 203, *203*
orbites 62
planètes 12, 27, 28,
86, 96, 101, 104,
106, 110, 114
rotation 198
trous noirs 204
Univers 8
Grèce antique 42, 44,
48, 104, 113, 114,
121, 124, 150, 158
Greenwich,
observatoire 48

Groupe local (amas)
130
Guillaume le
Conquérant 164

H

Hale-Bopp, comète 162
Halley, comète 162,
164-165
Halley, Edmond 164
haute, marée 194, *195*
Hawaii, éclipse *39*
observatoires 48
volcan *19*
héliocentrique,
système 16
Helios, satellite 54
hélium 190, *190*
Big Bang 10
eau 192
énergie nucléaire 180
étoiles 118, 136, 138
nébuleuses *132*
planètes gazeuses
104, 108, *109*, 112,
113, 114
rayons cosmiques 186
hémisphères, ciel
nocturne 40
constellations 121, *122*
étoiles 52
jour et nuit 25
sphère céleste 156
Hercule X-1 (étoile)
144

Hercule, amas 130
Herschel, Caroline 52,
52
Herschel, John 52
Herschel, William **52-
53**
Hertzsprung-Russell,
diagramme **152-
153**, 172
Hewish, Anthony 146
Himalia 104
Hipparque **44-45**, 150
Hiroshima *180*, 181
Homestake,
observatoire
souterrain 48
Hooke, Robert 104
horizontales,
coordonnées 121
Houston, centre
spatial 82
Hoyle, Fred 20
Hubble, Edwin **58-59**,
154
Hubble, télescope
spatial 54, *54*, 59,
59, 75, 99, 117, *145*,
166
Huygens, Christiaan
110
Hydre femelle *127*
hydrogène 190, *190*,
191
Big Bang 10
bombes 180
eau 192

énergie nucléaire
180
étoiles 118, 134,
136, 138
fusées 70
nébuleuses *132*
planètes gazeuses
104, 108, *109*, 112,
113, 114
Soleil 30, 31, *31*, 34,
36
rayons cosmiques
186

I

Ida 158
impacts 68, 88
de corps célestes 29,
96, *97*, 106, 161, 162
voir aussi cratères
impulsion 62, 201
inertie, principe 202
inflation (Univers) 10
infrarouge,
rayonnement 54,
104, 183, *183*
inondations (Mars)
101, 102
intelligence
extraterrestre 22
interactions *voir* forces
interférométrie *61*
Io 28, 104, 106, *107*, 195
sondes *Voyager* 78,
78

IRAS, observatoire
   spatial 54
irrégulières, galaxies
   126, 130
isotropie (Univers) 59
ISS, Station spatiale
   internationale 84,
   84, 90, 91
IUE, observatoire
   spatial 54

J

Japet 28
jet (avion) 82, 83
Johnson, centre spatial
   82
jour 170
   Mercure 96
   Pluton 116
   Terre **24-25**
   Uranus *113*
   Vénus 99
jumelles *41,* 43, 150
Jupiter 24, *92,* **104-105**
   atmosphère 18
   Copernic 17
   corps mineurs 158,
      159, 162
   eau 192
   exploration 76, 78,
      78, 105
   Galilée 56
   gravité 106
   Herschel 52
   lunes 28, 29, **106-107**

magnétisme 196, *197*
marées 195
observation 40
vie 20

K

Kepler, Johannes **94-95**, 138, 202
Kitt Peak, observatoire
   49
Kohoutek, comète *162*

L

laboratoires spatiaux
   90, *90*
Laïka (chienne russe)
   80
lancement (fusées) 64,
   70, 72, *72*
lanceurs **70-71**, 72, *72*
Larissa 114
laser 86, 172
latitude *45,* 121, 156
Le Verrier, Urbain 114
Léda 104
lentille
   gravitationnelle *167*
lentilles optiques 50,
   184
Leonov, Alexei 84
lever du Soleil *voir*
   aube
Lion, constellation
   (*Leo*) 124, *125, 157*

loi de Hubble 58, 154
lois de Kepler 94, 202
lois du mouvement de
   Newton 203
longitude *45,* **121**, 156
longueurs d'onde 182,
   183
   lumière visible 184
   rayons X 188
Lowell, Percival 100
lumière, visible **184-185**
   astronomie 42
   aurores
      magnétiques 168
   ciel nocturne *41*
   éclipses 38
   Einstein 176, *176*
   étoiles 118
   matière sombre 206,
      207
   nébuleuses 132
   Newton 202
   quasars 166
   radiations 183, *183*
   Soleil 30, 31
   télescopes 50, 54
   trous noirs 204
luminosité **150-151**
   distance 172, 173
   diagramme H-R
      152, *152*
   étoiles 118, 136,
      140, 142
   Hipparque 44
   quasars 166
   Soleil 37, 141

Luna, sondes spatiales
   66, 80, 86
lunaison 26
Lune 24, **26-27**, 86,
   161, 200, *200*
   ciel nocturne 40, 124
   Copernic 16
   distance 86, 172
   eau 192, *192*
   éclipses 38, *38,* 39
   exploration 66, *67,*
      71, 76, 80, *83,* 84,
      86-87
   formation 12
   Galilée 56
   Herschel 52
   marées 194-195, *194*
   Newton *203*
lunes **28-29**, 42
   atmosphère 18
   Copernic 17
   eau 192
   galiléennes 106-107
   Herschel 52
   marées 195
   orbites 62, 64
   rotation 198
   Système solaire 56,
      78, *78,* 92, 101, 104,
      109, 112, 114, 116
lunette astronomique
   17, 42, 50, *50,* 56,
   57, 100, 106, 113,
   142, 149, 150, *151*
Lunakhod 80
Lyre, constellation

Index

(*Lyra*) 133, 149
voir aussi RR Lyrae,
    Double double
Lysithée 104

M

M80 (Nac 6093), amas
    stellaire *119*
M83 (NGC5236) *127*
Maat Mons (Vénus) 98
Magellan, sonde
    spatiale *98*
magnésium 15, 190
magnétisme **196-197**
    voir aussi champ
        magnétique
magnétosphère 196
magnitude *150*, 150-151
    catalogues stellaires
        120
    étoiles géantes 136
    étoiles les plus
        brillantes 175
    Hipparque 44
    voir aussi
        diagramme H-R
manteau (Mercure) 96
marées **194-195**
    gravitationnelles 195
Mariner, sondes
    spatiales 76, 96
Mars 14, 52, *92*,
    100-101
    astéroïdes 158, *159*
    atterrissages **102-103**

ciel nocturne 40
eau 192
exploration 66, 76,
    96, 100, *101*, 102,
    102, 192
jour et nuit 24
Kepler 94
vie 20
Mars Odyssey, sonde
    spatiale 192
Mars Pathfinder,
    sonde spatiale 101,
    102, *102*
Mars, sondes spatiales
    102
Martiens 100
masse cachée *voir*
    matière sombre
masse
    Einstein 176
    étoiles 118
    gravité 200
    Newton 202
    orbites 62
matière 166, 180
    amas 130
    atomes 178
    Big Bang 10
    gravité 176, 200, 201
    matière sombre
        206-207
    naines blanches 140
    trous noirs 204
    Univers 8, *9*
matière sombre 141,
    206-207

maximum solaire **32**,
    168
Mauna Kea,
    observatoire 48
Maunder *voir*
    minimum
mauviettes *voir*
    WIMPS
McCandless, Bruce 84
Mercure 14, 52, **96-97**,
    161
    année 170
    ciel nocturne 40
    comète de Halley 164
    jour et nuit 24
    lunes 28, *29*
    planètes *92*
    sondes 76
mers lunaires 27
Messager des étoiles,
    Le (Galilée) 56
Messier, Charles 46
métal 104, 108
    voir aussi fer,
        hydrogène,
        magnésium,
        nickel, plutonium,
        thorium, uranium
Meteor Crater *161*
météores **160-161**
    essaims 160, *160*
    vie 20
    voir aussi astéroïdes,
        cratères, météorites
météorites 29, *97*, 106,
    160-161

Lune 26, *27*
micrométéorites 88,
    160
Terre 15
vie 20
météorologiques,
    satellites 64
méthane,
    Neptune 114, *115*
    Pluton 117, *117*
    Uranus 113, *113*
méthode de la
    parallaxe 172
méthode de la
    séquence principale
    172
Métis 104
micrométéorites 88, 160
micro-ondes 54, 60,
    183, *183*
    Big Bang 10
minimum de
    Maunder 37
Mir, station spatiale
    80, 84, 90, *91*
Mira 142
Miranda 112
miroirs (télescopes)
    50, *50*, 51, *54*, 86
missions spatiales 74,
    76, 82, *83*
    lunaires 80, 83, *83*,
        83-84, 86
Mizar 149
MMU voir fauteuil
    spatial

module lunaire *86*
mois 26
mois lunaire *voir* lunaison
molécules organiques 20
morte-eau, marée 194, *195*
moteur-fusée 84
moteurs 72
navette spatiale *70*, 74
mouvements planétaires 94, *95*

N

Nac 6093 (M80), amas stellaire *119*
Naïade 114
naines, étoiles 36, 100, 134, 137, **140-141**, 142, 152, *153*, 190
naissance des étoiles 10, *11*, 12, *13*, 92, *133*, **134-135**, *140*, *141*
NASA, agence spatiale 20, 67, 77, 82
naturels, satellites *voir* lunes
navette spatiale 54, *54*, 69, *70*, **74-75**, 80, *80*, 82,
navigation, satellites de 64

NEAR, sonde spatiale 158
nébuleuse primitive *12*
nébuleuses **132-133**
catalogues astronomiques *46*
éléments chimiques 190
Herschel 52
Hubble 58, 59
naissance des étoiles 134, *134*
obscures 132, 133, 134
vie 20
nébuleuses planétaires *59*, 133, *133*, 138, 173
néon 190
Neptune **114-115**, 158, 164
eau 192
exploration 76, *76*, 78, *78*
lunes 28, 29
magnétisme 196
Newton 203
planètes *92*
Pluton 116
Néréide 114
neutrinos 48, 186, *187*, 206
neutrons 178, *178*
éléments chimiques *191*
énergie nucléaire 180
rayons cosmiques 186

voir aussi étoiles à neutrons
neutrons, étoiles à 136, 138, 141, **144-145**, 146, 188, 198
Newton, Isaac **202-203**
NGC, catalogue astronomique 46
NGC224 (galaxie) 46
NGC253 (galaxie) 23
NGC5236 (galaxie) *127*
nickel 12, 14, 15, 196
Norton, atlas stellaire 120
noyau atomique 10, 31, 118, 178, *178*, 180, *181*, 182, 184, 186, 190, *191*, 196
noyau rocheux (planète) 28, *105*, 108, 112, 114
noyau, étoiles 134, 136, 144, *144*
galaxies 126, *126*, 128, 188
Jupiter 104, *105*
lunes 28
magnétisme 196
Mercure 96, *96*, 97
Neptune 114
quasars 166
Saturne 108
Soleil 31, *31*, 36
supernovae 138
Terre 12, 14
Uranus 113

NPO532 (pulsar) *146*
nuages cosmiques 10, *11*, 12, *12*, 14, 92, *130*, *143*, 154, 186, 188, 206
nébuleuses 132, 134, *134*
nuages, planètes 98, 99, 104, *105*,108, *109*, 113, 114, *114*
nucléosynthèse 10, 190
voir aussi fusion
nuit **24-25**

O

Obéron 112
objets non stellaires 46
obscures, nébuleuses 132, 133, 134
observation du ciel *voir* astronomes, astronomie, ciel nocturne, lunettes, observatoires, satellites, télescopes
observation, satellites 64
Observatoire de Paris 48
observatoire impérial chinois 48
observatoires astronomiques 42, **48-49**, *50*
observatoires spatiaux 54, 145, 188
voir aussi SoHO

Index

océan *13*, *15*
  eau 192
  marées 194, *194*
  Système solaire 106,
    109, 113, 114, *115*
Olympus Mons
  (Mars) 100
ombre (taches
  solaires) 32
omicron-2 Eridani
  (étoile) 140
ondes 182, 184
  voir aussi infrarouge,
    micro-ondes,
    ondes radio,
    photons, rayons
    gamma, rayons X,
    ultraviolets, visible
Ophiuchus,
  constellation
  (*Ophiuchus*) 124
Oppenheimer-
  Volkoff, limite 144
orages 18
  voir aussi éclairs,
    tempêtes
    magnétiques
orbites **62-63**, 124,
  170, 195, 206
  astéroïdes 158, *159*
  ciel nocturne 40
  comètes 162, 164
  gravité 200, 201
  Kepler 94
  Newton 202, *203*
  planètes 14, 26, 96,

98, 100, *105*, 108, 110,
  112, *113*, 114, 116
  polaires 65
  satellites 18, 64
  voyage spatial *69*,
    73, 80, 86, 90, 176
orbiteur, navette
  spatiale 74, *75*
ordinateurs,
  astronomie 42, 50
  sondes spatiales *67*, 76
organismes
  microscopiques 20,
  20
  Mars 100
  Mercure 97
Orion, constellation
  (*Orion*) 122, 132,
  133, *190*
OVNI *22*, *68*
oxydant (fusées) 70
oxygène 190, *190*, *191*
  atmosphère 18, 19
  aurores
    magnétiques 168
  eau 192
  Terre 12, 14, 15
  voyage spatial 69,
    70, 88

P

parabole (radio-
  télescopes) 60, *61*
paraboliques, orbites
  62

parallaxe **172**, *173*, 174
parsec **174**
particules 10, *33*, 34,
  48, 168, 178, *178*,
  182, *185*, 186, 187,
  187, 191, 206
  voir aussi alpha, bêta,
    neutrons,
    neutrinos, photons,
    protons, quarks
Pasiphaé 104
Pavonis Mons, volcan
  (Mars) *101*
Pégase, constellation
  (*Pegasus*) 46, 130, 142
  51 Pegasi (étoile) 92
pendule de Galilée 56
pénombre (taches
  solaires) 32
périhélie 14, 94, 170
période de rotation
  94, *146*, 198
périodiques, comètes
  162
périodiques, étoiles
  variables 142
Persée, amas *143*
Persée, constellation
  (*Perseus*) 122, 142
Perséides (météores)
  160
Petit âge glaciaire 37
Petit Nuage de
  Magellan 126, 127
phases de la Lune 26
phases de Vénus 56

Phobos 101
photographies
  astronomiques 42,
  43, 48, 109, *117*,
  120, *166*
photons 10, 31, 182,
  184, *185*
photosphère 30, 32
Piazzi, Giuseppe 158
Piliers de la création
  134
pilote (navette) 82
Pioneer, sondes
  spatiales *22*, 66
PKS2349 (quasar) *166*
plan orbital 15, 110,
  112, 116, 124, 157
plan de l'écliptique
  voir écliptique
plan galactique 129, 142,
  146
planète manquante 158
Planète rouge *voir*
  Mars
planètes **92-93**
  année 170
  atmosphère 18
  Copernic 16, 17
  eau *192*, *193*
  exploration 66, 76,
    77, 78, 80
  extraterrestres 22, 92
  gravité 200
  Herschel 52
  jour et nuit 24
  Jupiter 104

Kepler 94
lunes 28
magnétisme 196
marées 195
mineures 158
Newton 202, 203
observation 42, 172
orbites 62, 63, 124
rotation 198
satellites 64
voir aussi Jupiter,
    Mars, Mercure,
    Neptune, Pluton,
    Saturne, Terre,
    Uranus, Vénus
planètes extrasolaires
    voir exoplanètes
planètes mineures voir
    astéroïdes
planètes rocheuses voir
    telluriques
planétésimaux 12
planétoïdes 158
plasma 118
Pleine Lune 26, 195
pleine mer 194
Pluton 92, **116-117**, 170
    Newton 203
    orbites 63, 124
plutonium 180
Point gamma du Bélier
    156
Poissons, constellation
    (Pisces) 124, 157
polaire, orbite 65
Polaris voir Étoile polaire

pôles, célestes 156
    étoiles 144
    Jupiter 104
    Mars 192
    Terre 65, 156, 168, 197
Poliakov, Valery 90
position, étoiles 24,
    44, 46, 120-121,
    156, 172
    planètes 95, 114, 125
positons 182, 186
Poupe, constellation
    (Puppis), 118
    dzêta Puppis 118
poussée (fusées) 70,
    72, 72
poussières 54, 88
    anneaux de Saturne
        110, 111
    comètes 162
    météores 160
    nuages 12, 12, 14,
        92, 132, 133, 134,
        134, 206
    Voie lactée 128
précession des
    équinoxes 44
pression
    atmosphères
        planétaires 84, 99,
        104, 108, 112, 176
    nucléosynthèse 180,
        190
propergols 70, 70, 74
propulsion spatiale 70,
    74, 84

Protée 114
protons 178, 178
    éléments chimiques
        190, 191
    rayons cosmiques 186
protubérances solaires
    14, 30, 31, 34, 34
Proxima Centauri
    (étoile) 140, 174
pulsars **146-147**
    catalogues
        astronomiques 46
    étoiles à neutrons 144
    radiotélescopes 60

Q

Quadrantides
    (météores) 160
quarks 10, 178, 179
quasars **166-167**
    catalogues
        astronomiques 46
    décalage vers le
        rouge 154, 155
    trous noirs 204
    3C273 (quasar) 166
    3C48 (quasar) 46
    8C1435+63 (quasar)
        154
queue cométaire 162, 162

R

radar 99, 183
    données 98, 172

radiations **182-183**, 185
    atmosphère 18
    combinaison
        spatiale 88
    énergie nucléaire
        180, 185
    Terre 15
    voir aussi
        rayonnements,
        particules
radio, ondes 146, 183,
    183
    voir aussi signaux
        radio, radiosources,
        radiotélescopes
radioactivité 12, 182
radiosources,
    catalogues 46
    voir aussi pulsars,
        quasars
radiotélescopes 42, 50,
    60-61, 186
rayonnement fossile
    voir fond
        cosmologique diffus
rayonnements 182-
    183, 184, 206
    électromagnétiques
        50, 54, 182, 183,
        183, 184, 188
    fond cosmique 10
    Jupiter 104, 197
    matière sombre 206
    nébuleuses 132, 132
    observation 42, 50,
        54, 60

Index

protection 68
Soleil *18*, *33*, 34
trous noirs *204*
voir aussi photons,
ondes radio,
infrarouge,
ultraviolets,
rayons X, rayons
gamma
rayons cosmiques 48,
183, **186-187**
rayons gamma 180,
182, 183, 188
télescopes spatiaux
54
rayons X **188-189**
étoiles à neutrons 144
lumière 184
radiations 183, *183*
télescopes spatiaux
54
télescopes 50
réactions nucléaires,
étoiles 118, 134
Jupiter 104
lumière 184, *184*
Soleil 30
réfraction 184, *184*
refroidissement,
combinaison
spatiale 88
vaisseau spatial 68
relativité 8, 154, 176,
201
générale 176, *176*
voir aussi gravité

réseau de radio-
télescopes 60, *61*
rétrograde, rotation
99, 114, 116
révolution (astres) 17,
17, *24*, 62, *63*, 94,
96, 100, 114
Révolution coper-
nicienne 17, 56
Rigel 118, 136
robots 80, 85, 102, *102*
roc, roche, rocheux
12, 14, *15*, 20, *20*,
28, *109*, 110, *111*,
114, 117, 158, 160
Lune 86
Mars 100, *100*, 101
voir aussi noyau
rocheux
Rodolphe II,
empereur *95*
Rome antique 108
rotation **198-199**, 206
rétrograde **99**, 114,
116
RR Lyrae (étoiles) 142
Russell, Henry 152
Russes *voir* Soviétiques

S

Sagittaire, constellation
(*Sagittarius*) 124,
157
Saliout 1, station
spatiale 90

sas d'arrimage 90
satellites **64-65**
artificiels 32, *37*, 40,
54, 68, *75*, 80, 84
naturels 20, 28
orbites 62
voir aussi Copernic,
Kepler, lunes,
Newton
Saturn V, fusée 71
Saturne 18, *92*, **108-
109**, 198
anneaux **110-111**
exploration 76, *76*, 78
Herschel 52, *52*
lunes *20*, 28, *28*
scaphandre spatial *voir*
combinaison
spatiale
Scooter, le *114*
Scorpion,
constellation
(*Scorpio*) 124, *157*
Scorpius X-1 (étoile)
Seconde guerre
mondiale *180*
séculaire, année 170, *170*
SETI 22
Shakespeare, William
56, 112
Shoemaker-Levy 9
(comète) 162
sidéral, jour 24
sidérale, année 170
signaux radio
extraterrestres 22, 23

quasars 166
Saturne 109
sondes *67*
silicium 12, 15, 190, *190*
simulateur de vol *82*
singularité 204
Sinope 104
Sirius 140, 150, 151
Skylab, laboratoire
spatial 90, *90*
Smithsonian,
observatoire 50
SN 1987A, supernova
138
sodium 96, *191*
SoHO, observatoire
spatial *31*, 33, 37, *37*
Sojourner (robot) 102,
102
solaire, année 170
Soleil **30-31**, 148
années-lumière 174
Copernic 16, 17
corps mineurs 158,
159, 162, *162*, 164
éclipses **38-39**, *38*, 176
Einstein *176*
éruptions **34-35**
évolution **36-37**,
118, 134, *141*, 144,
181,
Galilée 56
gravité 200
Herschel 52
luminosité 150
Newton 202

observation 37, 54, 76
position 40, 128, 129,
rayonnements 88,
    182, 186, *186*, 188,
    188
rotation 198
satellites 64
Système solaire 26, 28,
    63, 92, *92*, 96, 98,
    100, *105*, 108, 112,
    113, *113*, 114, 116
taches solaires
    32-33, *33*
Terre 12, 14, *15*, 18,
    18, 24, *24*, 25, 44,
    94, 168, 170, *171*,
    194, *195*
zodiaque 124
sondes spatiales *22*, 28,
    66, *67*, 68, **76-77**,
    78-79, 80, 192, 200
astéroïdes 76, 158
comètes 66, 76
Jupiter *29*, 105
Lune 66, 80, 86
Mars 76, 96, 100,
    101, 102, 103, 192
Neptune 114
Saturne *109*, 109, 110
Uranus 112
Vénus 80, 98, *98*, *99*
voir aussi Cassini,
    Deep Space, Galileo,
    Luna, Magellan,
    Mariner, Mars,
    Mars Odyssey,

Mars Pathfinder,
    NEAR, Pioneer,
    Stardust, Venera,
    Viking, Voyager
sorties dans l'espace
    84-85
soufre *78*, 107
sources X 188
    voir aussi rayons X
sous-marin, volcan 20
Soviétiques, agence
    spatiale 82
    communautes 80, 82,
    84
missions spatiales 66,
    80, *80*, 86, 98, 102
stations spatiales 90,
    91
Spacelab, laboratoire
    spatial 90
spécialiste de charge
    utile 82
spectre, électro-
    magnétique 54, 182,
    183, *183*
étoiles 148
lumière 202, *202*
spectroscopique,
    binaire 148
sphère céleste 46, 121,
    156-157
spicules 30
spirales, galaxies 126,
    126, 130
    voir aussi Voie
    lactée, Andromède

Spoutnik, satellites 64,
    80
Stardust, sonde
    spatiale 66
stations spatiales **90-91**
    voir aussi ISS, Mir
Stern, atlas
    photographique 120
subatomiques,
    particules voir
    particules
Sumériens *44*
Superamas local 130
supergéantes, distance
    172
éléments chimiques
    190
étoiles 118, 136-137,
    137, 138
rouges *136*, 142
variables 142
supernovae 136, *138*,
    138-139, 181
distance 172
éléments chimiques
    191
étoiles à neutrons
    144, *144*, *145*
formation de la
    Terre 12
nébuleuses
    planétaires *59*,
    133, 172
pulsars 146, *146*
rayons cosmiques
    186

rayons X 188
    voir aussi Crabe
sursauts solaires *33*, 34
surveillance du ciel
    158
survols 76, *109*
synchrotron voir
    émission
système binaire voir
    binaires
système de contrôle de
    réaction (*RCS*) 74
système de manœuvre
    orbitale (*OMS*) 74
Système solaire,
    atmosphère 18
aurores
    magnétiques 168
corps mineurs 158,
    160, *161*, 162, 164
eau 192
évolution 36, *141*
exploration 76, 78,
    79
formation 12, *12*
jour et nuit 24
magnétisme 196
marées 194
planètes 14, 26 28,
    29, 92, *92*, *93*, 96,
    98, 100, 104, 106,
    108, 112, *113*, 114,
    115, 116
rayons cosmiques
    186
rotation 198

Index

Soleil 30, 34
vie 20
systèmes de survie 69, 84

T

T Tauri (étoiles) 142
tables rodolphines 95
taches solaires 32-33, 37
Taureau, constellation
    (*Taurus*) 124, *157*
    voir aussi T Tauri,
        nébuleuse du Crabe
télécommunications,
    satellites 64, *65*
télescope à réflexion
    voir télescopes
télescope à réfraction
    voir lunette
        astronomique
télescopes 50-51
    optiques 28, *41*, 42,
        48, 50, *51*, 52, *53*,
        66, 100, *101*, *109*,
        112, 113, 150, *151*,
        174, *184*
    spatiaux 42, 54-55,
        54, 59, *59*, 75, 99,
        117, *145*, 166, 188
    voir aussi Hubble,
        lunette
        astronomique,
        observatoires
        spatiaux,
        radiotélescopes

télévision, images 102
    signaux 64
telluriques, planètes
    14, 15, 18, 92
    voir aussi Mercure,
        Vénus, Terre, Mars
température, engin
    spatial 68
    étoiles 118, 152, *152*
    fusion *181*
    Jupiter *105*
    Lune 86
    Mars 100
    Mercure 96
    Pluton *117*
    Soleil 30, 31, 34
    Terre *15*
    Triton 115
    Uranus 112
    Vénus 98
    vie 20
tempêtes magnétiques
    34
temps 8, 176, 201
    voyage 205
    voir aussi jour, année
Terre 14-15, 54, 69, 70,
    76, *92*, 100, 174, *203*
    activité solaire 32,
        34, 36, 37
    année 170, *171*
    astéroïdes 158, 159
    atmosphère 18, *18*,
        19, 118
    aurores
        magnétiques 168

ciel nocturne 40
Copernic 16, 17
décollage 72
eau 192, *192*
éclipses 38, *39*
extraterrestres 22
formation **12-13**, 14
gravité 200
jour et nuit 24, *25*
Lune 26
magnétisme 196
marées 194, *194*
météores 160
orbites 62, *63*
rotation 198
rayons cosmiques
    186, *186*, *187*
rayons X 188
satellites 64
zodiaque 124
Tête de cheval,
    nébuleuse 133
Thalassa 114
Thébé 104
théorie de la relativité
    voir relativité
thermonucléaire,
    fusion *voir* fusion
thorium 191
Tirion, atlas 120
Titan 18, 20, *20*, 28, 97
Titania 112
Tombaugh, Clyde *117*
Tour des Vents,
    observatoire 48, *48*
TPF, satellite 77

trajectoire *17*, 64, 78
transfert, orbite 74
Trifide, nébuleuse *132*
trigonométrie 44
Triton 28, *29*, 114, 115
trou de ver 67, 205
trous noirs 144, **204-205**
    décalage vers le
        rouge 144
    gravité 176, 200
    quasars 166
    rayons X 188
    Voie lactée 129
troyens, astéroïdes 158
Tully-Fisher,
    technique 173
tuyères 70
TV, images *voir*
    télévision

U

ultraviolets 50, 54, 68,
    183, *183*, 184, 188
Umbriel 112
Unité astronomique 174
Univers **8-9**, 22, 30,
    54, 138, 174
    atomes 178, 179
    Copernic 16
    Einstein 176
    éléments 190
    expansion *11*, 154,
        206
    forces fondamentales
        180, *196*

galaxies 126
Hubble 58, 59
matière sombre 206
Newton 202, 203
quasars 166
rotation *198*
trous noirs 204
Uranie, déesse 113
uranium 180, 191
Uranus *92*, **112-113**,
114, *115*, 116
Herschel 52, *52*
magnétisme 196
exploration 76, *76*,
78

V

V2, fusées 70
Valles Marineris
(Mars) *100*, *101*
variables, étoiles 136,
138, 141, **142-143**,
146, 188, 198
Venera, sondes
spatiales 80, 98
vent solaire 18, 34, 162,
168
vents, Neptune 114
Saturne 108
Uranus 112
Vénus 28, 40, *92*, **98-
99**, 100, 164
année 170
exploration 76, 80
Galilée 56

Herschel 52
jour 25
rotation 198
Verseau, constellation
(*Aquarius*) 124, *157*
vie **20-21**
eau 192
extraterrestre 22, 23
Mars 100, 102
Terre 14, *14*, 181
Vierge, amas 130
Vierge, constellation
(*Virgo*) 124, *157*
70 Virginis (étoile) 92
Viking, sondes
spatiales 76, 100,
102
vitesse de la lumière 8,
154, 155, 174, 183,
184
vitesse de libération
72, 101
vitesse orbitale 72
vive-eau, marée 194,
195
VLBA (*Very Long
Baseline Array*),
observatoire 60
Voie lactée (la
Galaxie) 62, *119*,
128-129, *138*, 142,
146
galaxies 126, *126*, 130
Herschel 52
Hubble 58
matière sombre 206

observation 40, *41*, 60
rayons cosmiques 186
volcans, atmosphère
18, *19*
Io 78, *78*, 106, *107*
Lune 27
marées 195
Mars 100, *101*
Terre 12, *15*, 48
Triton 114
Vénus 98, *98*
vie 20
vols habités 66, 68, 69,
80
inhabités *67*, 68, 76,
78
von Braun, Wernher
70
Voyager, sondes
spatiales 76, *76*,
78-79, 109, *109*,
112, *114*
voyages spatiaux
80-81

W

WIMPS (mauviettes)
206

X

X33, navette prototype
81
XMM, observatoire
spatial 54

Z

zénith 156
zêta Puppis (étoile)
118
Zeus 104
zodiaque **124-125**, *157*

Remerciements

Les éditeurs souhaitent remercier les artistes suivants
qui ont contribué à ce livre :

Kuo Kang Chen, Rob Jakeway, Janos Marffy, Rob Sheffiel, Mike White.

Les éditeurs remercient les sources suivantes
pour l'utilisation de leurs photographies :

CORBIS : Page 39 Morton Beeb S.F. ; page 45 Bettmann ; page 95 Bettmann.

Les éditeurs souhaitent remercier la NASA
pour le prêt généreux de leurs photographies.

Toutes les autres illustrations proviennent des archives des éditions Miles Kelly.